Deryn Du

Cyfieithiad ac addasiad Bryn Fôn o
Blackbird gan David Harrower

Cyflwynir y gyfrol hon i
fyfyrwyr drama Ysgol Rhydfelen
a roddodd dystiolaeth i Adroddiad *Clywch*;
am eu dewrder.

Argraffiad cyntaf: 2011

ⓑ y cyfieithiad Cymraeg: Bryn Fôn

Cyhoeddwyd yn Saesneg gan Faber & Faber dan yr enw
BLACKBIRD hawlfraint © 2005 gan David Harrower
Cedwir holl hawliau'r ddrama hon a dylid gwneud unrhyw gais am ei defnyddio
ymlaen llaw i CASAROTTO RAMSAY & ASSOCIATES LTD.,
7-12 Noel Street, London W1F 8GQ

Rhif rhyngwladol: 978-1-84527-359-0

Mae'r cyhoeddwr yn cydnabod cefnogaeth ariannol
Cyngor Llyfrau Cymru

Cynllun clawr: Tanwen Haf
Lluniau: Dewi Glyn Jones (www.dewijones.co.uk)

Cyhoeddwyd gan Wasg Carreg Gwalch,
12 Iard yr Orsaf, Llanrwst, Conwy, LL26 0EH.
Ffôn: 01492 642031 Ffacs: 01492 641502
e-bost: llyfrau@carreg-gwalch.com
lle ar y we: www.carreg-gwalch.com

Perfformiad gwreiddiol Theatr Bara Caws

Deryn Du

Addasiad Bryn Fôn o ddrama David Harrower, *Blackbird*

Theatr Bara Caws
13 Ebrill — 8 Mai, 2010

Y Cast (yn nhrefn eu hymddangosiad):
Mei: Bryn Fôn
Lora: Fflur Medi Owen

Gyda diolch arbennig i:
Elin Fflur Wyn Jones a Zara Husna Abas

Cyfarwyddwr: Siôn Humphreys
Cerddoriaeth: Catrin Edwards
Cynllunydd: Emyr Morris-Jones
Cynllunydd Goleuo: Aled William Thomas
Sain: Berwyn Morris-Jones
Gwisgoedd: Lois Prys
Rheolwr Llwyfan: Sioned Wyn Roberts
Cynorthwy-ydd Llwyfan: Gareth Wyn Roberts
Gweinyddwraig / Marchnata: Linda Brown
Cydlynydd Artistig: Tony Llewelyn
Lluniau Dewi Glyn Jones (www.dewijones.co.uk)

Aelodau parhaol Bara Caws:
Berwyn Morris-Jones, Emyr Morris-Jones, Linda Brown,
Mari Emlyn a Tony Llewelyn

Diolchiadau a chymorthdaliadau
Cwmni Theatr Bara Caws:
Cainc; Siop Awen Meirion, y Bala; Ymddiriedolaeth Cronfa
Elw William Park Jones; Cyngor Celfyddydau Cymru,
'Noson Allan' CCC; Cyngor Gwynedd; Cyngor Ynys Môn;
Cyngor Bwrdeistref Sirol Conwy; Cynghorau Cymuned
Gwynedd, Môn, Conwy, Dinbych, Wrecsam ac ardaloedd
eraill; Cymdeithas Theatr Cymru.

Rhagair

Dwi'n amau 'mod i wedi darllen adolygiad o berfformiad o *Blackbird* gan David Harrower yn y *Guardian* yn 2005, pan lwyfannwyd y ddrama gyntaf yng Ngŵyl Caeredin. Efallai i mi weld rhywbeth ar y We yn 2007 pan enillodd cynhyrchiad Theatr yr Albery yn Llundain ohoni wobr Olivier am y Ddrama Newydd Orau. Mae un peth yn sicr, pan roddwyd copi o'r sgript yn fy llaw gan Gwmni Theatr Bara Caws yn 2009 â chyfarwyddyd i'w darllen gyda'r bwriad o'i chyfieithu i'r Gymraeg, a'i chynhyrchu yn 2010, daeth yr atgofion am yr adolygiadau clodwiw a'r clipiau ymfflamychol ar *YouTube* yn ôl i'r cof ac roeddwn yn ymwybodol iawn 'mod i'n ymdrin â drama o bwys.

'Stori serch sydd wrth galon *Deryn Du*,' oedd un o'r is-deitlau ar raglen taith Bara Caws yn Ebrill 2010, ond dwi'n anghytuno. Pedoffilia sydd wrth galon y ddrama hon, ac effaith y weithred ddieflig ar y dioddefwr. Yn ei adroddiad cynhwysfawr, *Clywch*, dywed Comisynydd Plant Cymru, Peter Clarke, am bobol sy'n camdrin plant:

> ... maent yn aml yn dewis y rhai gydag amgylchiadau teuluol 'anodd' a'u targedu i'w camdrin, gan fanteisio ar eu cythrwfwl emosiynol.

Dyna yw sylfaen y ddrama a 'toedd 'na ddim 'serch' yn agos i'r peth.

O ddarllen y gwreiddiol, fel un sydd wedi darllen cannoedd o sgriptiau, y peth cyntaf a darodd fy llygaid oedd dull Harrower o gyflwyno'i waith. Brawddegau byr, weithiau heb eu hatalnodi, brawddegau un gair, un ar ben y llall, yn edrych fel barddoniaeth ar y dudalen. A dyna ydi o hefyd — barddoniaeth hegar ac anodd, ond barddoniaeth serch hynny.

O wisgo het actor wrth geisio dadansoddi y 'deud', penderfynais y byddai'n haws i'r perfformwyr ffendio rhythm y 'deud' drwy gael brawddegau hirach mwy naturiol ond gyda '...' (tri atalnod) i gynrhychioli seibiau ansicrwydd, nerfusrwydd neu newid cyfeiriad.

Er enghraifft, byddai araith Lora am y dyn yn taflu sbwriel (tudalen 22) wedi edrych fel hyn:

> Ma isho ... y bobol 'ma sy'n ...ma nhw'n disgwl i bobol erill llnau'u llanasd nhw. Ofynish i ... i rhyw ddyn ... mi luchiodd gan gwag, can cwrw a pacad o grisps, ar y pafin. Gollwng nhw reit o 'mlaen i ... nath o'm croesi 'i feddwl o, mond lluchio. 'Côd rheina rŵan,' medda fi ... mae o'n chwerthin, meddwl 'mod i'n jocian ... oedd 'na ...

Wedi diwrnod a sawl tudalen o gyfieithu, darllenais y deunydd a sylweddoli'n syth na fyddai y dacteg hon yn gweithio a bod yn rhaid aros yn driw i strwythyr y gwreiddiol. Ond rhaid cyfaddef i mi roi ambell '...' yn reddfol, ac er sylwi arnynt wedyn, dwi wedi eu gadael i mewn. Fel y nodais yn rhaglen Bara Caws ar gyfer y daith, roedd cyfeithu ac addasu'r ddrama yn fynydd o waith, gan geisio cadw naws a thensiwn y gwreiddiol. Felly y cyfieithu sy'n rhoi geiriau Cymraeg ar dafodau'r cymeriadau ond yr addasiad sydd yn gyfrifol am greu cymeriadau credadwy i daro tant gyda chynulleidfa Gymraeg.

Mae dau gymeriad yn camu i mewn i ystafell flêr ac yn syth bin mae'r gynulleidfa yn gofyn; 'Pwy ydi'r rhein? Lle maen nhw? Pam eu bod nhw yma? Beth yw eu perthynas?' Toes 'na ddim un ateb yn cael ei gynnig am sbelan; dim ond wedi tua pymtheg tudalen mae Harrower yn datgelu cyfrinach eu perthynas. Mi geisiais daflu mwy o niwl dros y cychwyn yma drwy ddefnyddio 'chi' a 'chitha', arf nad oedd ar gael i'r dramodydd gwreiddiol, wrth reswm. Felly rydym yn cael y gêm ffug-barchus yma, am tua saith tudalen, o ddau yn mân siarad am gyd-weithwyr, teithio a sbwriel fel petaent heb gyfarfod erioed or blaen. Mae hyn yn cael ei ddymchwel ac yn miniogi cywreinrwydd y gynulleidfa pan mae Mei yn colli amynedd hefo'r gêm ac yn cyfarth: 'Be ti'sho?'

Newidwyd enwau'r cymeriadau a rhai lleoliadau fel rhan o'r addasu. Mae Lora yn wahanol i'r Una wreiddiol oherwydd ei bod yn Gymraes. Credaf fod y Gymraeg yn creu tensiwn ychwanegol yn y diweddglo hefyd, ac yn dangos cymaint mae Mei wedi'i wneud i guddio ei orffennol oddi wrth ei 'deulu newydd'.

Wedi perfformiadau o *Blackbird* yn Llundain ac Efrog Newydd roedd rhai adolygwyr a sylwebyddion yn beirniadu Harrower am beidio â beirniadu cymeriad Ray (Mei) yn ddigonol. Aeth rhai mor bell â'i gyhuddo o fod â gormod o gydymdeimlad â'r dyn ac o bortreadu'r ferch mewn ffordd annheg oherwydd ei hymateb ar ddiwedd y ddrama. Dyma'r sylw a gynigiodd Harrower ynglŷn â Ray i dawelu'r cyhuddiadau, '*Oh! you believed him, did you?*' Rhaid derbyn o hyn bod y dyn yn deud celwydd trwy'r holl ddrama. Dyma ddywed Peter Clarke yn Adroddiad *Clywch*:

> ... derbynnir yn gyffredinol bod y rhai sy'n camdrin plant yn aml yn gallu twyllo eu cyfeillion pennaf hyd yn oed.

Pan gefais i'r gwaith o gyfieithu'r ddrama hon toedd o ddim yn fwriad nac yn ddymuniad gen i bortreadu rhan y dyn (Mei), a dyma ysgrifennais yn rhaglen taith Bara Caws:

> Drama anodd, rhan anodd, ond weithia' mae'n rhaid ymgymeryd â phynciau anodd a chymeriadau tywyll er mwyn ennyn trafodaeth.

Wel, fe gafwyd hynny yn sicr — llawer trafodaeth ddifyr iawn.

Mae 'na dueddiad ynom ni fel cenedl i anwybyddu problemau o'r fath, i gladdu'r gwir â rhyw agwedd "di o'm byd i neud hefo ni yng Nghymru fach!' Ond na, fe fu y bwystfil yma yn ein mysg. Yn 2008 fel rhan o'm paratoadau i gyfarwyddo i'r BBC, mi es ar gwrs NSPCC; 'Amddiffyn Plant yn y Gweithle'. Roedd y ddarlithwraig, Saesnes, yn canmol Adroddiad *Clywch* ac yn disgrifio sut yr oedd yn cael ei ddefnyddio yn eang gan arbenigwyr plant ar draws Ewrop, ond nad oedd llawer o sôn amdano yng Nghymru.

Comisiynwyd Adroddiad *Clywch* yn sgîl achos cyhuddo John Owen, athro drama Ysgol Rhydfelen, yn 2001 o 'droseddau difrifol yn erbyn plant'. Cyflawnodd Mr Owen hunanladdiad cyn ymddangos yn y llys i wynebu ei gyhuddwyr. Mae'r Comisynydd Plant yn pwysleisio ar ddechrau ei adroddiad nad penderfynu a oedd John Owen yn euog o'r cyhuddiadau yn ei erbyn yw prif amcan yr adroddiad, ond gweld a fu arwyddion o gamymddwyn lle y gallasai'r awdurdodau fod wedi rhoi stop ar y trais. Dyma ddywed Mr Clarke am yr athro carismataidd:

> Byddaf yn disgrifio patrwm ymddygiad dyn a ddefnyddiodd ei safle fel athro fel modd i gam-drin plant yn rhywiol, yn emosiynol ac yn gorfforol. Hyderaf y gallaf drwy hynny ychwanegu at ein dealltwriaeth o'r ffordd y mae dynion o'r fath yn ymddwyn ac o ganlyniad ein galluogi i amddiffyn ein plant a'n pobl ifanc yn well.

Dyna oedd fy ngobaith innau wrth gyfeithu a pherfformio *Deryn Du*.

Bryn Fôn
Gwanwyn 2011

Gair gan Bara Caws

Fel y dywed gwefan y cwmni, 'Sefydlwyd Cwmni Theatr Bara Caws tros ddeng mlynedd ar hugain yn ôl i ddiwallu'r gofyn am Theatr broffesiynol yn y gymuned Gymreig, i'r gymuned Gymreig. Tra bo'r deunydd a'r modd o gyfleu wedi datblygu gyda'r defnydd o dechnoleg newydd a disgwyliadau uwch cynulleidfa fwy soffistigedig, yr un yw'r byrdwn a'r bwriad â'r dyddiau cynnar hynny. Gwyddom fod tair ffactor bwysig yn gyfrifol am lwyddiant y cwmni yn y gorffennol ac yn sail i'w ddatblygiad a'i barhad yn y dyfodol, sef Gwreiddioldeb, Perthnasedd a Phroffesiynoldeb.'

Mae'n bwysig bod yn driw i ddisgwyliadau'n cynulleidfa 'draddodiadol' yn y cymunedau, ond gan mai Bara Caws yn aml yw'r unig gwmni theatr fydd ambell un yn ei weld o un pen blwyddyn i'r llall, mae'n hanfodol ein bod yn cyflwyno cynyrchiadau bob hyn a hyn sydd yn cynnig profiad gwahanol ac yn annog y selogion i ailedrych ar eu perthynas â'r byd. Cynhyrchiad felly oedd *Deryn Du*. Roeddem yn deall yn iawn, fel cwmni, nad oedd y ddrama yn mynd i fod at ddant bawb; ond roeddem yr un mor benderfynol ei bod yn ddrama bwysig oedd yn ymdrin â phwnc amserol anodd mewn ffordd oedd yn mynnu fod pawb a'i gwelai yn gorfod ailedrych ar eu rhagfarnau, ac efallai ailosod eu cwmpawd moesol. Chawson ni ddim ein siomi yn addasiad Bryn nac yn ei berfformiad o a Fflur dan gyfarwyddyd sensitif a chynnil Siôn Humphreys. Does dim dwywaith i *Deryn Du* droi ambell drol, ond hefyd fe agorodd lygaid sawl un a chyffroi emosiynau annisgwyl ymhlith cynulleidfaoedd ledled Cymru. Llwyddodd i wneud

hynny mewn ffordd wreiddiol, berthnasol a phroffesiynol.
Allwn ni ddim gofyn am fwy.

Tony Llewelyn Roberts
Cydlynydd Artistig Cwmni Theatr Bara Caws

Deryn Du

Lora   ugeiniau hwyr. Côt, ffrog, a bag llaw mawr.

Mei   dros ei hanner cant. Trowsus, crys a tei; ffôn symudol ar ei felt.

Mewn stafell oeraidd, bwrdd isel a nifer o gadeiriau plastig, nifer o loceri hefyd.

Mae'r drws wedi ei gau.

Bin sbwriel yn llawn.

Ar y llawr o gwmpas y cadeiriau mae yna fwy o sbwriel a bwydiach wedi ei golli.

Mae yna ffenestr hirsgwar gyda gwydyr niwlog a gallwn weld siapiau pobol yn pasio ar hyd y coridor bob hyn a hyn.

Lora   Sioc.

Mei   Oedd ... ydi ... Rŵan

        Saib.

Lora   Rŵan?

Mei   'Rhoswch.

Saib wrth iddo fynd at y drws, edrych allan, yna gadael y drws yn gilagored.

Lora   Oeddach chi'n brysur?

Mei   Oeddwn

Lora   Ddudon nhw ...

Mei   Dwi'n dal i fod, yn brysur.
O'n i hefo'r ... un o'r rheolwyr.
Da ni yn 'i chanol hi braidd.
Fyddan nhw ...
Ella y byddan nhw'n
Gyrru rhywun i fy nôl i

Pan fydda nhw f'angan i.

Lora   Oes gynnon nhw ddim cartrefi?

Mei   Cartrefi?

Lora   Allan, yn fanna.

Mei   Sori, dwi'm yn ...

Lora   I fynd iddyn nhw.
Adra i'w cartrefi.
Lle gweithio'n fama.
Ma 'i'n hwyr!

Mei   Fyddan ni'n gorffan rŵan, mewn munud.
           Fyddan nhw'n mynd adra ... munud.
           Ddoth 'na ordor hwyr i mewn
           Ag wrth gwrs ... rhaid i ni brosesu'r ordor, 'm'otch
           pa mor hwyr
           'Di hwyr, ddim ... 'di'r amsar ddim yn bwysig.
           Rhaid prosesu'r ordor a gyrru'r sdwff allan.
           Quick turnaround, felly da ni'n gweithio.

Lora   Felly, be yn union da chi'n neud yma ta?

Mei   Wel, petha ... deintyddol

Lora   Achos

Mei   Weithia meddygol.

Lora   Tydi'r enw uwchben y drws.
           Fedrwch chi'm deud.
           Fel yr adeiladau isel 'na da chi'n basio
           Nes i basio
           Ar y draffordd, ar y ffordd yma.
           Ceir 'di parcio tu allan
           Dim syniad be sy'n digwydd tu mewn.
           A rhywbeth fatha cloc digidol mawr ar y talcan yn
           deud be di'r tymheredd.
           Ma fama felna tydi!

           Mae Mei wedi dechrau casglu peth o'r sbwriel.

           Fama da chi'n byta ?

Mei	Na.
	Dim fama.
	Dwi ddim. Y sdaff sydd.
Lora	Ddylan nhw ddim gadael y lle felma.
	Ma'r llawr 'ma
	Mae o'n mynd ar sbwriel i'r bin
	Mae o'n llawn
	Mae'n gwthio'r sbwriel i mewn.
	Lle da chi'n byta?
Mei	Oes 'na rhywun hefo chi?
Lora	Ydw i ar ben fy hun?
	Dyna da chi'n feddwl?
Mei	Ia. Eich hun. Ydach chi?
Lora	Ia. Ydw.
Mei	Fedrwch chi ddeud wrtha'i, pam bo' chi yma?
	Be da chi'n obeithio gael?
Lora	Dy nhw'n mynd i dorri
	Am banad, ne smôc ne rwbath?
	Oes 'na beryg?

Mei   Na. Ma 'i'n rhy hwyr 'wan.

Lora   Chawn ni mo'n sdyrbio?
              Dwi'm isho pobol yn cerddad mewn a

Mei   Be sy' 'na i sdyrbio?
              Be da chi isho?
              'Sgin i'm amsar i ...

Lora   Wela i.

Mei   Dwi
              Toes dim rhaid i mi fod yma hefo chi.
              Da chi'n dallt hynny tydach?
              'Sdim rhaid mi aros yma.

Lora   Na. Dwi'n dallt hynny

Mei   'Sdim rhaid mi wrando
              'Sdim rhaid mi ddeud dim byd.
              Felly ... mond am funud bach ...
              munud ne ddau a mi fydd rhaid i chi fynd
              a ... a ... fydd angan i fi fynd nôl i

              Mae'n rhoi ei droed heb sylwi yng nghanol peth
              o'r sbwriel sydd ar y llawr.

Lora   Watchwch.
              Da chi 'di, heb ei orffan.
              Rhywun jysd 'di adael o felna.
              Ddylia chi ddeud rwbath wrthyn nhw.

Mae Mei yn tynnu ei esgid, llnau y wadan hefo'r papur, mynd â'r papur i'r bin.

Mei   Dwi wedi deud.
              Ma nhw'n gwbod. Di deud a deud.

Cnoc ar y drws.
Mae o'n mynd at y drws a'i agor rhyw ychydig er mwyn gweld pwy sydd yno.
Mae'n camu allan a chau'r drws ar ei ôl.
Lora yn edrych o'i chwmpas, cerdded at y bin, edrych yn anghrediniol arno yna yn mynd i eistedd wrth y bwrdd.

Daw Mei yn ei ôl, cau'r drws. Yna sylwi, troi nôl a'i adael yn gil-agored fel o'r blaen.

              Fysa'n well i ni fynd allan!

Lora   Allan. I lle?

Mei   O fama. Jysd tu allan.

Lora   Na.

Mei   I'r lle parcio neu

Lora   Dwi'n iawn yn fama.

Mei   Ma 'i'n ...

Lora	Chi bwshiodd fi ... i mewn i fama.
Mei	Nes i'm pwshio.
Lora	Cyn i bawb 'y ngweld i.
Mei	Nes i ddim mo'ch pwshio chi o gwbwl. Nes i eich gwahodd chi i mewn.
Lora	Ma siŵr bo' nhw i gyd yn meddwl pwy ydw i? Yn tydyn?
Mei	Pawb di'ch gweld yn dod i mewn do. Byddan, ma siŵr y bydda nhw'n ... Ma nhw'n
Lora	Fush i'n disgwyl yn hir amdanach chi, Peter. Sefyll yn y ffrynt 'na fel ...

Mei yn newid cywair

Mei	Be ti'sho ? Nei di plis ...
Lora	Ga'i gau'r drws?
Mei	Na.
Lora	Newch chi 'i gau o ta?
Mei	Ma raid iddo fo fod yn gorad.

Lora	Ma 'na ddrafft.
Mei	Da ni'n mynd allan beth bynnag, mewn munud.
Lora	Da ni yma rŵan. Chi ddoth â fi.
Mei	Mi fysa hyn yn haws tu allan. Fedran ni ...
Lora	Cau y drws.

Tydi o ddim yn symud.

Ma 'na ddrafft oer yn dŵad mewn.
Dwi'm yn licio
Ma'n
Mi wna'i 'i gau o ta!

*Saib. Mae hi'n codi, edrych arno, mynd am y
drws
Mae o'n camu ymlaen i'w rhwystro. Sdopio.
Mae hi'n gwthio'r drws ynghau yn sydyn a
swnllyd.*

Na fo, wedi'i gau.

Mae hi'n edrych ar y sbwriel sydd wrth y drws.

Ma isho. Y bobol 'ma sy'n
Ma nhw'n disgwl i bobol erill llnau 'u llanasd nhw.
Ofynish i i rhyw ddyn
Mi luchiodd gan gwag

Can cwrw
A pacad crisps
Ar y pafin.
Gollwng nhw, reit o 'mlaen i
Nath o'm croesi 'i feddwl o, mond lluchio
'Côd rheina rŵan,' medda fi.
Mae o'n chwerthin.
Meddwl mod i'n jocian.
Oedd 'na ...

Mei   Nei di

Mae o'n rhwbio ei lygaid yn hegar

Lora   ddynas hefo fo.
'Bitch' nath hi ngalw i.
I amddiffyn o
Nath o mond chwerthin wrth

Mei   Sut nes di'n ffendio fi?

Saib

Lora   Mewn
Llun
Mewn *magazine*.

Mei   Lle? Be?

Lora   Rhyw

Mei   *Magazine*?

Lora   Cylchgrawn Meddygol / Deintyddol.
Hyrwyddo'r cwmni.
Petha *trade magazines* 'ma ti'n gael mewn ...
Lle doctor.
Ti'n gwbod yn iawn am be dwi'n sôn.

Mei   Yndw.

Lora   Oedd 'na lun ar y cefn.
Chdi a dy
Hefo criw o bobol.
Tîm.
Oedd o'n deud bo' chi'n dîm.
'Di ennill rhyw wobr
Perfformans
Y gora yn y busnas yn ôl pob tebyg.

Mei   Felly
Dwi'm yn ...
Welis di gylchgrawn
Gweld y llun 'ma a ...

Lora   Gin ti ffrindia?

Mei   Ti'n penderfynu
'Ma chdi'n

Lora   Ffrindia?

Mei   Oes. Siŵr dduw, bo' gin i ffrindia, be oedd

Lora   Ffrindia newydd
        Ta'r hen ffrindia oedd gin ti o blaen?

Saib

Ma dy llgada di'n goch.
Dy nhw'm yn llosgi?

Mae o'n rhoi chwerthiniad bach cyn rhwbio ei lygaid eto.

Mei   Sut oeddat ti'n teimlo?

Lora   Paid â rhwbio nhw.

Mei   Mewn llun.
        A dreifio'r holl ffordd yma.

Lora   Ia. Ti'sho weld o?

Mei   Nagoes, dwi'm isho

Lora   Ond ti'n gwbod pa lun dwi'n

Mei   Yndw.

Lora   Sdopia rwbio dy llgada.

Mei   Ma nhw'n brifo.

Lora	Am bo' chdi'n rhwbio mor galad.
Mei	Dwi'n rhwbio nhw am bo' nhw'n brifo.
	Na'r unig ffordd i sdopio nhw frifo.
	Dreifio yma nes di?
Lora	Ia.
Mei	Faint ydi o
	Faint gymodd hi i chdi ddŵad?
	Lle
	Fedra i'm coelio ...
Lora	Fi 'di drwg?
	Mai i 'di hyn?
	Ti'n *allergic* i mi dŵad?
	Saib
	Mae o'n syllu'n fud arni.
	Deud 'wbath.
Mei	Da ni am gerddad allan 'wan.
	Mae o'n symud tuag ati.
	Ar dy draed, tyd.
	Côd plis.
	Da ni'n mynd allan
	Cerddad lawr a trwy'r

Lora   Nes i sgwennu llythyra i chdi.

Mei   Llythyra?

Lora   Chafodd

Mei   Ches i'r un llythyr.

Lora   Chafo' nhw

Mei   Pryd?

Lora   rioed eu gyrru

        Saib.

Mei   Be oeddan nhw'n 'i ddeud?
        Pryd oedd hyn?

Lora   Oeddan nhw'm i fod i gael eu gyrru.
        Nhw ddudodd, y bobol nath yn helpu fi.
        Y ... ar ôl yr helynt.
        I fi sgwennu atat ti
        Llythyra
        I ddeud be o'n i'n feddwl ohonat ti.
        Be o'n i'n deimlo
        'Cael deud fy neud'
        Peidio gadael i betha
        Gadael i chdi ... ennill
        Mi oedd o'n

Mei	Ennill? Pwy sy'n
Lora	Sgwennish i ... gannoedd.
Tynnu dy llgada di allan
Nes i sgwennu hynna, crafu nhw allan a sathru arnyn nhw.
Y llgada 'na oedd wedi sbïo arna fi.
Ma' nhw dal gin i.
Mei	Ti wedi cadw nhw?
Lora	Y rhai gora, do.
Fydda i'n 'u darllan nhw weithia.
Gymaint o gasineb ynddyn nhw.

Wedyn oedd rhaid i mi sgwennu am obaith.
Nhw'n deud wrtha fi — sgwenna am obaith!
Bo' fi'n gallu gneud rwbath dwi isho.
Yn rhydd i neud wbath
Y dyfodol i gyd o 'mlaen i
Er mwyn dangos i chdi
I brofi
Er gwaetha be nes di

Nes di'm yn atab i.
Ffrindia newydd?
Ta wnaeth dy hen ffrindia aros yn driw? |
| Mei | Be ti'n feddwl? |
| Lora | Dwi'n meddwl |

O be welish i

Mei Chwech, saith awr i yrru yma
     I be?

Lora Yn y llun 'na

Mei I gael 'y ngweld i'n diodda?

Lora Faswn i'm yn galw hyn yn
     Roedd dy llgada di'n

     Diodda?
     Rhwbia nhw eto nei di
     Yn gletach.

Mei Oedd dim rhaid i mi siarad hefo chdi.
     'Swn i 'di gallu cerddad i ffwrdd
     Toes 'na ddim

Lora O ia, y dyn 'na.

Mei Pa ddyn?

Lora Y dyn wnaeth daflu y sbwriel, a'i
     Dim y sbwriel sy'n
     Toedd y sbwriel ddim yn
     Dim y budreddi.
     Y fo, y dyn, y person ollyngodd y sbwriel
     Chafodd o rioed 'i ... rioed
     Ysgol ... Addysg

Rioed wedi ei ddysgu'n iawn.
A 'ma fi'n meddwl, 'ti ddim gwell nag anifail, mêt'
Twyt ti ddim wedi cael magwraeth dda iawn a felly
ti'n rhy sdiwpid
Rhy hurt i sylweddoli hynny neu fasa ti'm yn
gadael i bobol erill dy weld di'n
Gweld pa fath o
Be wyt ti

Chdi

'Ma fi'n gofyn am gael gweld Peter
A dyma Mei yn ymddangos.

Saib hir.

Mei   Mae hyn yn wâsd ar amsar.
         Gwasdraff llwyr.
         Fedri di'm gweld hynny?
         Pwy ddudodd wrtha chdi am ddŵad yma?

Lora   Neb.

Mei   Y bobol nath
         Dy helpu di ... dy

Lora   Dwi'm 'di gweld neb ers blynyddoedd.
         Tydyn nhw'm yna am byth siŵr.

Mei   Dy ddocdor di.
         Confrontation

28

Be maen nhw'n 'i alw fo?
The face to face
Wynebu
Nes i ddim cytuno i hyn.

Lora   Naci

Mei   I gael be?
        Sgin ti'm hawl i, i 'ngneud
        'Ngneud i'n sbort ... yn 'y ngwaith
        Mae 'na bobol erill ... Cydweithwyr
        Cerddad i mewn, a gofyn am rhywun
        Sgin i'm byd i ddeud wrtha chdi
        Ti fatha rhyw ysbryd, yn landio o nunlla i
        Dôs adra ... plis ... gad lonydd i mi
        Dôs ... adra.

Lora   Ti'n meddwl mod i'n dal i fyw yn yr un lle?

Mei   Dwn i'm. Dwi'm yn gwbod lle ti'n byw.
        Sut faswn i'n gwbod hynny?

Lora   Mi ydw i.
        Dal i fyw yna. Naethon ni

Mei   Allan, o fama, tyd.

Lora   ddim symud.

Mei   Dos yn ôl 'na.
        Jysd dôs.

Lora   Dwi'n teimlo fel ysbryd.
         Wir, mi rydw i.
         Fel ysbryd ... lle bynnag dwi'n mynd
         Nes i sgwennu hynna yn y llythyra hefyd
         Nes di 'ngneud i'n ysbryd.
         Pobol yn siarad amdana i fel taswn i ddim yn bod
         Ddim yn gadael i mi ddeud dim

Mei   Dos allan ... Dos!
         Gwranda arna fi'n ... deud wrtha chdi
         Ti'n ... cerdda allan i'r awyr iach
         Anadla'r awyr iach
         Dos yn dy gar a
         Sdopia fod yn ysbryd
         Ti'n ...
         Mi nei di fyw dy fywyd
         Achos ddylia hyn ... hyn ... hyn ddim
         Byth wedi digwydd
         Ti'n teimlo rywfaint gwell eto?
         Ydi hyn yn gneud rhywfaint o les i ti?

Lora   Ydi!

Mei   Be?
         Mae hynna yn
         Fedra' i'm deud dim
         Ti'n
         Ti'n ... tu hwnt i bob
         Sut?
         Sut bo hyn yn gneud lles?
         Deud wrtha fi

Heblaw
Heblaw am y ffaith sgin ti'm syniad be ti'sho.
Dim syniad pam dy fod ti yma.
Deud wrth pwy bynnag ddaru dy hel di yma

Lora   Ddaru 'na neb … dwi 'di deud.

Mei   Motsh gin i

        Mae'n cychwyn am y drws.

Lora   Lle ti'n mynd?

Mei   Na i 'm

Lora   Paid â mynd.

Mei   Motsh gin i
        Dim 'y nghyfrifoldeb i ydi

Lora   Ddo' i ar dy ôl di.

Mei   Gwna fel mynni di
        Ma hyn
        Ma hyn yn uffernol

        Cadwa oddi wrtha fi
        Ti angan help 'sdi.

        Mae o wrth y drws. Mae o'n mynd allan.

Lora	Mei, paid â 'ngadael i yn fama

Daw yn ei ôl a chau y drws. Saib.

Mei	Mae 'na betha ma rhaid i mi 'u gneud.
	Petha angan eu checio.
	A ... wedyn
	Ar ôl mi adael fama.
	Heno
	Llefydd eraill yn galw
	Pobol erill yn dibynnu arna fi.

Lora	Be?
	Be wyt ti'n neud?

Mei	Y peth ydi ...Y ...
	Dwi'm yn gwbod yn iawn os ma chdi wyt ti
	Os mai chdi
	Ydi hi.

Lora	Ia fi 'di
	Wrth gwrs ma fi dwi

Mei	Nes i ddim dy nabod di

Lora	Do tad.

Mei	Naddo
	Dwi ddim.
	Chdi sy'n
	Nadw.

Lora   Es di'n llwyd 'tha corff

Mei   Dim

Lora   Es di'n welw.

Mei   Dim, ddim wrth dy weld di.
        Toedd gin i'm syniad pwy oeddat ti.
        Dynas yma i dy weld di.
        Dyna'i gyd ddudon nhw wrtha fi.

Lora   Pan ddudish i

Mei   Do
        Dwi'n gwbod yr enw tydw
        Cofio yr enw
        Iesu bach, ma'r enw wedi
        Fysa ti'n gallu bod yn, yn ffrind iddi
        Ma'r gwallt, yn wahanol
        O'r papura newydd
        O

Lora   Tydw i ddim

Mei   Riportar, sud gwn i?
        Dwi'm yn dallt dim o hyn.

Lora   Faint o genod erill deuddag oed wyt ti 'di, 'di cael
        sex hefo nhw 'lly?

        Saib

33

Mei	Dim un.
Lora	Ti'sho gweld y maen geni?
	Hwnnw nes di gusannu.
	Neu be ddudis di wrtha fi ar y traeth 'na
	Pwyntio dros y môr i
	I Holland.
	Neu ar y gwely 'na yn y llofft 'no yn y
	Dim un?
	Da ni'n newid 'sdi, genod bach deuddag oed
	Tyfu, tyfu fyny a mynd yn hŷn.
	Felly meddylia
Mei	Na neb
Lora	Mond y fi
	Yn y sdafall 'na
	O'n i 'di meddwl y bysa hi'n anoddach sbïo arna
	chdi
	I siarad
	Fuo bron i mi droi yn ôl.
	Ond tydi hi ddim
	Ma 'i'n hawdd.
	Ti hefo rhywun?
	Byw hefo rhywun?
	Ti ddim isho deud wrtha fi.
	Dwi'n gwbod bo' chdi 'fo dynas arall
	Fel oedd rheina yn sbïo arna fi allan yn fanna

A'r ffordd oeddan nhw'n sbïo arna chdi pan ddois
di ata fi.
Dynas dda?
Ydi hi'n ... ?

Mei   Dwi ddim am siarad amdani hi hefo

Lora   Ydi hi yn disgwl amdanat ti adra?

        Saib

Mei   Wyt ti'n disgwl i mi ddeud wbath?
        Be ti'sho fi ddeud?

Lora   Ydi hi'n gwbod amdana fi?

Mei   Dwi ddim am ddeud yr un gair am fy mywyd i.
        Pwy sydd yn fy mywyd i.
        Os mai dyna oeddat ti wedi obeithio gael a dwn i
        ddim pam y
        Pam y bysa ti isho gwbod hynny
        Dwi'n deud dim.
        Ti'n dallt ?
        (*Bloeddio*) Wyt ti'n deall?

        Saib

Lora   Nath dad farw.

        Oeddat ti'm yn gwbod?
        Ches di'm gwbod?

Mae o'n ysgwyd ei ben.

Chwe mlynadd yn ôl.
Lle oedda chdi?
Ella bo' chdi rwla arall?

Mei   O'n i'n fama.
Sut?

Lora   Syrthio ... baglu ... lawr grisia.
A ... gwaethygu
Ddoth o ddim ato'i hun
Oedd o'n (*dechra crio a gwylltio*)
Oedda chi'n ffrindia i fod
I fabi o oeddwn i.
Mi nath o dy wadd di fel ffrind i'w dŷ a ...
Fuodd o'n chwilio amdanat ti.

Mei   Oedd o'n gwbod yn iawn lle o'n i am bedair
blynadd.

Lora   (*Yn orffwyll*) Am dy ladd di
Oedd o'n benderfynol
Ddeud o drosodd a throsodd
Oedd o 'di ...
Mi fysa fo wedi dy ladd di.

Mei mewn dychryn oherwydd lefel a tôn ei llais.
Yn ei dagrau mae Lora yn estyn am ei bag llaw.
Mei yn ei gwylio mewn ofn.

Mei	Be 'sgin ti?
	Yn y bag 'na?
	Am be ti'n chwilio?
Lora	Ma raid mi
Mei	Tyd â fo yma.
Lora	Na 'naf
	Pam?
Mei	Be ti'n neud?
	Wyt ti'n
Lora	Be?
Mei	Paid.

Mae o'n cipio'r bag oddi arni.

Lora	Ti'n
Mei	Am yn lladd i.

Saib. Mae o'n chwilota yn y bag. Tynnu paced o hancesi papur allan.

Lora	Ia, o'n i am chwythu dy drwyn di i farwolaeth.

Dal ei llaw allan, mae o'n rhoi y paced iddi. Mae o'n tynnu potel o ddŵr o'r bag.

Ac asid ydi hwnna, dim dŵr, yfa fo.

*Mei yn gweld y dudalen wedi'i rhwygo o'r
cylchgrawn. Y llun ohono fo.
Cnoc ar y drws. Llais dyn yn galw o ochor arall
i'r drws.*

Llais Peter!

*Saib.
Y ddau yn edrych ar ei gilydd.
Mei yn mynd at y drws.
Agor cil y drws.*

Mei (*wrth y person tu allan*) It's fine. No, honestly.
It's fine.

Cau y drws. Mae'r llun dal yn ei law.

Lora Pan welish i hwnna
Y llun 'na
Dio'm yn glir nadi
Ond mi o'n i'n gwbod ma chdi oedd o
Rwygish i o allan, mynd â fo adra, sbïo
Sbïo a sbïo arno fo.
Ond oedd yr enw ar y gwaelod
Peter!
Peter?
Toedd o'm yn gneud
Dwi mor ara deg weithia.
Nes di newid dy enw.

Mei   Do.

Lora   Ydi o'n anodd?

Mei   Na.
        Nadi, ma 'i'n hawdd iawn.

Lora   Na, penderfynu dwi'n feddwl
        Ar enw newydd
        Dewis enw arall.
        Oedd hi'n anodd?
        Wyt ti'n, wyt ti'n trio rhei
        Faint, cyn i ti benderfynu yn iawn?
        Rhesdru rhei gora, ta be?

Mei   Dewis ar hap.

Lora   Sut?

Mei   Agor y llyfr ffôn.

Lora   *Pin the tail on the donkey*

Mei   Ia mewn ffor.

Lora   Be 'di dy enw llawn di ta?
        Peter be?

        Peter
        Fedra' i ofyn tu allan.

Mei   Trevelyan.

Lora   Peter Trevelyan.

Mei   Ia.

        *Saib. Mae hi'n gwenu'n sydyn, lladd
        chwerthiniad.*

Lora   Lle ddiawl ges di hwnna? Peter Trevelyan?

Mei   O dan y llythyren T.
        Odd rhaid i mi
        Roedd

Lora   Ia ond ... Esu Grist ...Trevelyan?
        Nes di'm ... Aglwydd mawr
        Mae ... Sgweiar Trevelyan
        Y? Sgweiar y Plas ta be?
        La di da ... O'r llyfr ffôn heb sbïo?
        Oedda chdi'n sâl ta be?
        Nath, *Delusions of grandeur*?
        Achos ... Iesu bach
        Mae'r cyfoethog yn cysgu
        Caru hefo genod bach hefyd sdi.
        Genod dan oed.
        Difetha'u bywyda nhw.
        Ma siŵr gin i fod yr un faint yn union o ddynion
        cyfoethog yn hambygio genod bach a sydd 'na o
        ddynion tlawd.
        Maen nhw'n gyfartal mae'n debyg.

                        40

Ond dyna fo, os 'di o'n gweithio i chdi
Os 'di o'n ... Ydi o'n?
Ennyn parch?
Dy helpu di
Helpu chdi i

Mei   Oreit

Lora   Anghofio

Mei   Digon o

Lora   Tydyn nhw'm yn gwbod
       Ddim un ohonyn nhw, allan fanna
       Nadyn?
       Be am dy ... y pardnar? Y musus
       Lady Trevelyan!

Mei   Ma 'i'n gwbod

Lora   Ma hi'n gwbod?

Mei   Ydi.

Lora   Sut bo' hi'n gwbod?

Mei   Fi ddudodd wrthi.

Lora   Bob dim?

Mei   Y ffeithia i gyd.

Lora   Fy oed i?

Mei   Ia.

Lora   Carchar?

Mei   Ia

Lora   Pryd? Pan ddechreuoch chi?

Mei   Ia. Da ni hefo'n gilydd ers saith mlynadd.

Lora   Be ddudis di wrthi?
           Deud yn union be ddudis di.

Mei   Deud, pan on i'n *forty* ges i
           Ges i berthynas anghyfreithlon.
           Nes i garu hefo hogan dan oed.

Lora   Ag oedd hi'n iawn am y peth?

Mei   Nagoedd.
           Ol nagoedd siŵr.
           Ond mi nes
           Nes i ddeud wrthi sut oedd petha yn 'y mywyd i ar
           y pryd.
           Bo' fi ddim yn dda.
           Problema a bo' fi'n methu
           Methu dygymod a
           Bod petha 'di rhoi
           Bo' fi 'di chwalu

Lora   Nes di?

Mei   Mi nes y camgymeriad mwya
        Mwya gwirion i mi neud erioed.

Lora   Dyna ddudis di wrthi?

Mei   Ia, be?

Lora   Camgymeriad gwirion wnaeth bara tri mis?
        Ddudis di bo' chdi 'di rhedag i ffwrdd hefo fi?
        Ddudis di hynny?

Mei   A wedyn mod i ... wedi callio
        Wedi ... dod at 'y nghoed.
        Mod i ...
        Digon hawdd i ti chwerthin
        Ti'm yn 'y nghoelio i?
        Iawn ... Iawn gin i
        Dwi'm angan dy, dy

Lora   A mi goeliodd hi chdi

Mei   Ma 'i'n fy ngharu i.

Lora   Be sy'n bod arni hi?
        Ma raid fod 'na rwbath yn bod arni hi.

Mei   Paid â
        Paid ti â meiddio deud dim.

Dim amdani hi
Ma 'i wedi helpu lot arna fi.

Lora   Sgynno chi blant?

Mei   Nagoes.

Lora   Da chi isho plant?

Mei   Ti'n trio bod yn *funny* ta be?

Lora   Ti'n 'y ngweld i'n chwerthin?

         Yn y llun 'na, ti'n dangos dim
         Dim byd yn dy wyneb.
         Hanner gwên.
         Wedi anghofio
         Wedi

Mei   Do, do dwi wedi

Lora   Heddiw ... mi fysa ti ar y gofrestr
         Mi fysa dy enw di yna
         'Sa Mei lawr 'na
         Fysa chdi'm yn gallu anghofio
         Ddim yn cael, Peter
         Fysa nhw'm yn gadael i ti
         A dim y fi yn unig
         Pobol tu allan i dy
         O gwmpas dy dŷ di.

Mei	Dwi'n byw fy mywyd Bywyd newydd dwi 'di gwffio amdano, am bo' fi 'di colli
Lora	Nes di feddwl amdana fi o gwbwl?
Mei	Ma gin i bob hawl. Mi fedra' i wthio'r peth mor bell i ffwrdd a
Lora	Be oedd yn digwydd i mi?
Mei	Be, ail fyw y peth bob dydd? Fy mywyd i 'di hwn. Fedri di ddim
Lora	Pan wnaeth y barnwr 'na
Mei	Fedri di'm cerddad i mewn i fama a
Lora	Chwe mlynadd. Pan ddudodd dad wrtha fi
Mei	Ma gin i hawl i, i rwbath I fyw.
Lora	Mi nes i y ddedfryd hefyd Dy ddedfryd di a mwy Pymthag mlynadd dwi 'di neud Colli bob dim Colli mwy na wnes di erioed Colli

Achos ches i rioed amser
Amser i, i, i gychwyn.
Naethon ni ddim symud
Y tŷ 'na yn y stryd 'na
Pobol yn siarad, pwyntio bysadd, sdêrio arna fi.
Colli fy ffrindia i gyd
Cadw
Nes i gadw fy enw
Dwi yn ail-fyw y peth bob dydd.

Mei   Os wyt ti isho i mi
Dwi wedi dy gymeryd o ddifri
Ond os wyt ti'n trio deud
Fedri di'm meddwl am y peth bob dydd siŵr dduw.

Lora   S'dim rhaid mi feddwl, mae o yna

Be am y llunia?

Mei   Ti'n gweithio?
Ti'n gallu gweithio?
Be nes di, cymyd *day off*?

Lora   Y llunia

Mei   Pa lunia?

Lora   Y llunia ohona fi
Yn dy fflat di
Lle ma nhw?
Naethon nhw ddim ffendio nhw.

Mei   Nes i

Lora   Nath yr heddlu ddim dod o hyd iddyn' nhw.

Mei   Ma nhw

Lora   Dwi 'di gweld gwefanna
Cannoedd o *websites*
Cannoedd o blant naw, deg, unarddeg, deuddag oed.
Fengach.
Llunia ar ... mewn gwlâu ... mewn llofftydd a
Ydw i yn un? Achos ma rhai ...
Y llunia 'ma, ma rhai nôl yn y saithdega
Ma nhw'n ... fedri di ddeud o'r sdafelloedd
A ma 'na bobol, dynion yn sganio nhw a rhoi nhw
ar, yn
Ma'r plant yna yn bobol wan a dy nhw'm callach
fod

Mei   Nes i llosgi nhw.

Lora   Nes di?

Mei   Do.
Do siŵr, nes i.
Do yn sicir.
Welodd neb mohonyn nhw
Losgish i nhw cyn i ni ... cyn i ni adael
Toedda nhw'm yn ...
Oedd gin ti ddillad, jîns a
Toedd 'na ddim byd

Lora	Yn isda ar dy soffa di.
	Gorwadd.
	Mae 'na lunia felna ar

Mei	Y We.
	Lle ma
	Y dynion 'na
	Y basdads budur yna
	Toeddwn i ddim yn un o rheina
	Rioed yn un ... ti'n gwbod
	Ddudon nhw wrtha chdi mod i
	Natho nhw 'ngalw i yn hynna, ond ti'n gwbod ...

Lora yn paratoi i adael

Be ti'n neud?

Lora	Dwi'sho mynd o 'ma.

Mei	Na. O'n i ddim yn un o rheina.
	Rioed ... Nhw ...

Lora	Gad fi fynd

Mei	Aros

Lora	Gad fi

Mei	Aros am funud bach. Isda

Lora	Na

Mei	Isda lawr
Lora	Paid a dŵad yn agos ata fi
Mei	Dim fel hyn ... Paid â
Lora	Dwi'sho mynd o 'ma. Symud i ffwrdd o'r drws 'na.
Mei	Gwranda
Lora	Symuda i fan'cw
Mei	Gwranda, plîs, ges i bedair blynadd o uffarn Mwy
Lora	Ia
Mei	Petha oedda nhw'n 'y ngalw i Poeri, cicio Cachu, cachu pobol 'di daflu i ngwynab. Ti'n gwbod o'n i ddim yn un ohonyn nhw.
Lora	Sut?
Mei	Ti, o bawb, yn gwbod.
Lora	Dwi'm yn gwbod dim byd o'r fath. Yr unig beth dwi yn wbod ydi, bo' chdi wedi 'nghamdrin i.

Abiwsio fi, yn do?
Yn do?

Mei   Do.
        Ond

Lora   Toes na'm ond yni

Mei   Gad mi

Lora   Toes 'na ddim ond

Mei   Do. Mi nes i ... Ond

Lora   Iesu.

Mei   Nes i'm, ...nes i'm.

Lora   Ddim be?

Mei   Be ddudon nhw yn y llys
        Neud o swnio, wel, neud o edrach fel ... mod i wedi
        dy dargedu di
        Wedi dewis ...
        Y dwrnod hwnnw ... dwrnod y barbaciw ...Yn ...
        Pan siaradon ni gynta ... toeddwn i ddim wedi
        Ti'n gwbod

        Mae ei ffôn symudol yn canu

        Pan nes i siarad hefo ti am y tro cynta

50

O'n i ... gwitcha.

Mae'n edrych ar sgrin y ffôn. Diffodd y ffôn.
Saib.

Lora   Hi oedd yna?

Mei   Ia. (*Saib*)
Ga'i ddiod o ddŵr gin ti?

Cymeryd y botel ac yfed ohoni.

Dwn i'm pam nath o 'ngwadd i, dy dad
O'n i'n deud helô wrtho fo, os o'n i'n 'i weld o ar y stryd.
Nes i helpu fo efo'i gar unwaith.
Ond ... O'n i 'di synnu pan ofynnodd o i mi
O'n i ddim am ddŵad.
Ddim yn nabod neb, y cymdogion 'na
Ond mi ... Oedd yn ffenast i ar agor ag o'n i'n gallu ogleuo y barbaciw
Pum drws i lawr ... Y mwg

To'n i ddim 'di ... Dim o d'achos di
O'n i wedi dy weld ti ar y stryd
Ond ddim ... dim dyna

Lora   Oedda chdi'n sbïo arna fi ... yn y barbaciw.

Mei   Nagon.

Lora	Welish i chdi.
Mei	To'n i'm yn
Lora	O'n i'n teimlo dy
Mei	Nes i edrych draw Ond to'n i ddim yn sbïo.
Lora	'Ti'm yn hapus,' medda chdi 'Ddylia chdi fod yn hapus.' Peth cynta ddudis di.
Mei	Ia. Roeddat ti'n isda ar ben dy hun. Ddim yn siarad hefo neb. Toedda chdi ddim yn hapus iawn. Dyna o'n i'n wylio Pobol yn trio siarad hefo chdi a chditha ddim yn ymatab. Oedda chdi Oedda chdi wedi ffraeo hefo dy ffrind gora Yn doeddat?
Lora	O'n i'n meddwl Wedyn ... 'Sa ni heb ffraeo ... 'Sa hi 'di bod yna Ella na hi.
Mei	Faint o bobol oedd yna? Faint? Pymthag, Ugian? Yn 'rar chi. Gardd fach dy rieni a

Ti'n gwbod pan ti 'di ...
Ma rhywun yn gwbod, nes i ddarllan am hyn
Pan ti'n cael dy gynhyrfu gan blentyn
Neu rhywun dan oed

Lora   Darllan am hynna?

Mei   Do.

Lora   Be? Oes 'na *handbook*?

Mei   Ma 'na

Lora   Restr i ti jecio?

Mei   Achos pan mae plant yn dy gynhyrfu di. Pan ...

Lora   Nes i ddarllan rhai o'r llyfra yna hefyd.

Mei   A finna. Hynny fedrwn i ffendio
        Er mwyn, i ... Ia, i jecio
        I weld, ag i ... Ffendio'r
        I, wel ia ... i ddysgu y ffeithia.

Lora   Pa ffeithia?

Mei   Y ffeithia, ... y patrwm
        Y, Y Cylch

Lora   *The Cycle*

Mei   *Of, of*

Lora   *Abuse.*

Mei   Ia

Lora   Deud o ta.

Mei   *Abuse.*
        Abusing. Ma 'na ffigyra.

Lora   Ges di dy 'biwsio yn blentyn?

Mei   Naddo.

Lora   Ti'n siŵr?

Mei   Ydw. Arglwydd mawr. Paid.
        Ngneud i'n sâl.
        Dwi'n siŵr y byswn i'n cofio peth felly.
        Nath yn nhwrna fi ofyn os o'n i 'di cael
        Deud y bysai'n well i mi os y byswn ni wedi cael
        Yn well, yn well i bawb os y baswn i wedi cael yn.

        Nes i ddarllan y llyfra 'na
        A meddwl am 'y mywyd i
        I fod yn hollol siŵr 'mod i ddim yn un ohonyn
        nhw, un o'r
        Achos ar ôl pedair blynadd o gael pobol yn deud
        Gofyn i mi gwestiynu fy hun.
        Cystwyo fy hun!

A cael dim ...

Achos pan wyt ti ... pan mae plant ...
Os ydi plentyn yn neud rwbath i chdi
I rywun
Ond dy' nhw ddim isho cyfadda
Ma nhw'n dychryn
Yn ffieiddio bo' nhw, yn teimlo fel hyn
Ma nhw'n cadw draw.
Ma nhw'n beryg a, a ma nhw'n gwbod hynny
Ma nhw'n pellau
Achos
Bo' nhw'n caru'r ... ond
Ma nhw'n caru nhw ddigon i fod isho'i
Isho'i hamddiffyn nhw.
Ma nhw'n cadw draw o lefydd lle ma nhw'n gwbod
y bydd yna blant.

Ond os wyt ti yn cael dy gynhyrfu
Ag isho
Ag am neud, am
Fwydo dy chwant
Ma nhw'n ffendio ffor'.
Ma nhw'n ... ma nhw'n chwilio am ffyrdd i fod yn
agos at
Yn denu
Ma'r bobol yma yn ... ofalus iawn
Ag yn dwyllodrus iawn, iawn
Mwya'r twyll, mwya'r risg.
Mwya'r risg — mwya'n byd ma nhw'n mwynhau.

Lora	Ti 'di dysgu hyn i gyd ar dy go'?
Mei	Odd hi'n ddwrnod poeth toedd? ... dwrnod y barbaciw. O'n i'n ... ag o'n i'n gwisgo shorts. Yr unig bar o shorts oedd gin i. Achos anamal iawn fyddai'n
Lora	Be?
Mei	Gwisgo shorts.
Lora	Be wyt ti'n ...
Mei	Dwi byth yn gwisgo shorts os nad ydi'n boeth ofnadwy.
Lora	Shorts?
Mei	Mi oeddan nhw'n shorts tynn Dyna oedd y ffasiwn adag hynny Ag os ... paid â gwenu. Paid Oeddan nhw'n chwerthin yn y llys Pawb yn cwrt yn chwerthin am hynna. Dwi'n cofio'r shorts yna'n iawn.
Lora	Gwranda ar dy hun Chdi a dy shorts tynn? Wyt ti'n sylweddoli pa mor

Mei   Os faswn i'n cael codiad

Os faswn i wedi cael codiad ... Cynhyrfu.
O'n i'n sefyll wrth dy ochor di.
Faswn i ... 'Swn i wedi gallu cerddad i ffwrdd
neu 'di isda lawr neu ...
achos pan o'n i'n cael codiad yn y shorts yna
mi oedd o'n ...
Fedrat ti'm 'i fethu fo ... oedd o'n amlwg i bawb
Unrhyw un fysa'n sbïo yn gallu gweld yn glir
Ffrindia dy dad ... 'Sa nhw wedi
A 'di o ddim
Dwi'n gwbod ma nid dyna di'r ... unig arwydd
Ond, ond mae o i mi — pan dwi'n, os dwi'n
Cynhyrfu, dwi'n cael min
Mynd yn galad yn syth.
Ond nes i aros do
Aros a siarad hefo chdi
Toeddat ti'n neb
Mond merch i gymydog
Oedd yn flin hefo'r byd a'i frawd y dwrnod hwnnw.
Dim, ddim yn ... Darged
Nes i rioed

O'dd gin i ... O'n i'n mynd hefo rhyw ddynas.
Dwi'n gwbod bo' nhw ...
Y dynion 'na yn gallu cael perthynas
A dal i neud, be ma nhw'n neud.
Ond ma rhan fwya yn ... dy'n nhw ddim
Ma nhw'n *loners*, ddim yn gallu cael ...

Lora   Oedd mam a dad yn meddwl dy fod ti'n

Mei   Be?

Lora   Swil. Braidd yn ddiflas. Ag yn *loner*.
Pam nes di ddim dod â dy gariad?
Odd dad wedi'i gwahodd hi hefyd.

Mei   Toedd hi'm yn gariad i mi. Oedd hi'n ...

Lora   Oeddat ti'n gweld digon ohoni.

Mei   O'n i mond hefo hi am chydig o fisoedd.
Fedra i'm cofio'i henw hi hyd yn oed
Hi oedd yr un ddiflas.

Lora   Nath hi ymosod arna fi unwaith.
O'n i'n cerddad lawr stryd hefo mam
A dyma hi ataf fi a rhoi peltan i mi ar draws 'y
ngwynab

Saib

Mei   Oedda chdi'n sbïo dagyrs arni medda hi
A dy fo' ti, bo' chdi ar yn ôl i.
Sefyllian wrth ymyl 'y nghar i, medda hi.

Lora   Nes i a'n ffrind gymodi
Ddudish i wrthi amdanat ti.

Am siarad hefo chdi
A chdi, chdi yn fy llygadu i
Fflyrtio.

Mei   Chdi nath hynny, ddim y fi
Chdi ... Y negeseuon. Sgwennu negeseuon a
A'u sdwffio nhw dan weipars y car:
'Mae dy gariad yn hyll
... ac yn chwerthin fath a mul'

Lora   'Di hynna'm yn

Mei   A troeon erill
Oedd rhaid i fi ddeud wrtha ti am sdopio
Tu allan i'r siop bapur
Methu dallt be o'n i'n awgrymu wir
Smalio bod yn ddiniwad i gyd

Lora   Nes i sdopio ... Sdopio sgwennu'r

Mi faswn i wedi gneud rwbath i chdi
O'n i isho chdi fod yn gariad i mi
O'n i isho isda wrth dy ochor di yn y car a cael
mynd i dre a
A pawb yn 'y ngweld i
Gweld ni.
Dynnish i *Boleroid* o'na chdi, ag o'n i a
Yn ffrind a fi ... yn 'i gusannu fo
Nathon ni ... roid o ar 'y nghlusdog i a cysgu hefo
fo.
Ag o'n i'n ... unrhyw esgus

Dod a bisgets i ti a cacan oedd mam 'di neud
Gofyn i chdi sbonsro fi yn y *sponsored walk*.
O'n i'n
Hollol ddigwilydd
A chditha'n gneud dim i fy sdopio i
Cwbwl o'dd raid i ti neud oedd deud wrth fy rhieni
Hogan bach wirion hefo crush gwirion
Ond nes di ddim
Nes di adael i betha ddechra.

Mei   Toeddat ti ddim yn wirion.

Lora   O'n mi o'n i.

Mei   Nag oeddat.

Lora   Os faswn i ddim mor wirion
Mi faswn wedi sylweddoli be oedd yn digwydd
Ond nes i ddim, o'n i rhy ifanc
Gormod mewn, mewn ... Cariad
Rhy wirion i fod ddigon hen ... i wbod, i ddallt
A dyna oedda ti isho
O'n i'm yn gofyn cwestiyna anodd
Toedd gin i'm cwestiyna i ofyn
O'n i isho bob dim oedda chdi isho

Mei   Na.

Lora   Ia. Mi ddudish 'ia' unwaith a nes i'm sdopio deud
'ia' wedyn
Awyddus i blesio — Desbret i blesio

Mei	Ti'm yn cofio fel oedda ti … sut un oedda ti.
Lora	Sut un o'n i felly?
Mei	Cryf.
Lora	Cry', be ma hynny fod i feddwl?
Mei	Penderfynol.
Lora	Paid â
Mei	Pengalad.
Lora	Paid
Mei	Pan 'naethon ni ddechra siarad yn iawn Ar ben yn hunan A chditha'n mynd trwy dy betha Nes i weld — Ges i'n synnu Oeddat ti'n gneud i mi chwerthin.
Lora	Chwerthin? Nes i Be? Tynnu 'sdumia?
Mei	O'n i'n
Lora	Dy gosi di?
Mei	Oeddat ti i weld yn hŷn na hi. Y ddynas 'na o'n i efo

Lora	Hŷn?
Mei	Hefo'i chwerthiniad sdiwpid Ia.
Lora	Hŷn, sut? Ti'n gneud dim
Mei	Oeddat ti yn gwbod am gariad Gwbod mwy na hi am gariad Mwy na fi. Oeddat ti'n gwbod be oeddat ti isho Mor, mor ddi-fynadd Methu disgwl i gael dy *beriod* cynta Ddudist ti hynny wrtha' i 'Di cael llond bol o gael dy drin fel plentyn Peth dwytha oeddat ti isho oedd rhywun i ddeud ma plentyn oedda ti.
Lora	Iesu bach.
Mei	Oeddat
Lora	Dyna ma plant yn 'i ddeud te
Mei	Oeddat ti ddim fel plant erill.
Lora	Hogan fach o'n i. *Virgin*. Corff heb ei gyffwrdd A ... Gael o i ti dy hun.

Cael bod y cynta
'Y nysgu i ... dangos i mi

Mei   Na.

Lora   Dŵad tu fewn i mi.
        Be arall oedd gin i i roi i ti
        I roi, heblaw am 'y nghorff deuddag oed?
        Be arall alla chdi fod isho?
        Toedd 'na ddim byd arall.

Mei   Mi oedd 'na
        I mi, mi oedd 'na.

        Mae hi'n cerdded oddi wrtho.

        Yn carchar ... y seshyna ... Trafodaeth grŵp.
        Crib mân drwy bob dim
        Be aeth o'i le?
        Be oedd ar goll?
        Fy, fy statws — Diffyg statws.
        Y casineb ynaf fi
        Beio pawb arall
        Yr awydd i ddinistrio bob dim.
        Achos dyna 'nes i yn ôl pob tebyg
        Dinistrio
        Chdi.
        Dy deulu.
        Nheulu i
        Mywyd i.
        A nid y cariad o'n i'n deimlo oedd yn gyrru hyn

ond
Rwbath ... rwbath 'di pydru ... rwbath dyfnach.

Saib

Ar ôl y barbaciw, roeddat ti ar 'y meddwl i ddydd a
nos
Methu dy gael di o fy mhen
A mi nes i ildio — gadael iddo ngorchfygu i.
A mi ... Bob dim
Bob dydd, meddwl sut allwn i dy weld, siarad hefo
chdi
Gadael gwaith yn gynnar
A, a gweithio ar 'y nghar yn y stryd
Smalio gweithio
Tynnu petha'n ddarna a'u rhoi nhw'n ôl at ei gilydd
Er mwyn ... oedd yr injan yn berffaith.
Ond o'n i'n ...
Achos bo' chdi o gwmpas a bo' 'na jans i ni siarad
A mi oedd bob dim yn iawn.
Edrach yn hollol ddiniwad a neb yn ama' dim.
Dy fam a dy dad. Y plant erill yn chwarae.
Ond toedd o, ddim yn ddigon, mi o'n i isho ni fod
ar ben yn hunan.

Ti'n cofio y — Y côds.
Y signals er mwyn cael, cael cyfarfod.
Jysd i siarad. Siarad
Mond chdi a fi. Ti'n cofio?
Ffonio tŷ chi. Un caniad.

Lora	Golygu fod hi ddim yna.
	Bo' chdi adra dy hun.

Mei   A parcio 'nghar am i lawr.

Lora   O ni 'di anghofio am hynna.
         A'r dwrnod wedyn mi fysa ti yno i 'nghwarfod i.
         Yn y parc.
         Parc gwaelod dre

Mei   Lle arall oedd 'na i ni gyfarfod?

Lora   Y tro cynta — Yn y parc.

         O'n i wedi gwirioni.
         Gwbod bo' chdi'n disgwyl amdana fi.
         Redish i yr holl ffordd.
         Achos fi oedd pia chdi.
         Oedda chdi'n isda ar fainc yn darllan papur.
         Ar peth cynta ddudis di oedd
         Deud wrtha fi am beidio isda wrth dy ochor di.
         Oedd raid i mi gerddad heibio.
         O'n i'n dallt pam.

Mei   Hollol hurt.
         Lle gwirion i gwarfod.
         O'n i ddim wedi meddwl am y peth.
         Nes i'm meddwl.
         To'n i ddim yn gwbod be oedd 'di digwydd i mi.
         A chdi wedyn

Lora	Cerddad i mewn i'r coed na.
Mei	Jysd diflannu.
	A dechra gweiddi'n enw fi.
	Mei. Tyd yma, Mei.
	Finna'n dal i isda — A ma'r dyn 'ma
	Dyn yn mynd â'i gi am dro ar hyd y llwybr.
	Chditha'n gweiddi eto a hwnnw'n troi a sbïo arna
	fi a dechra chwerthin.
	Toedd o ddim wedi dy weld ti nagoedd.
	Oedd o'm callach.
	Mond clŵad y llais hogan 'ma.
	'Mei, tyd yn d'laen, dwi'n disgwl.'
	A finna'n isda fanno 'tha lemon.
	O'n i 'di cael 'y ngweld, o'n, ond mi faswn wedi
	gallu egluro
	'Sa pawb 'di coelio petha at y funud honno.
	Mond cerddad o 'na a sdopio bob dim.
Lora	Ond nes di ddim.
Mei	Naddo. Fedrwn i ddim.
	Beth bynnag oedd yn digwydd.
	Beth bynnag oedd yn fy meddwl i, 'nychymyg i.
	Oedd yna fi ...
	Yn gneud i mi goelio mod i yn dy garu di.
	Dyna nath i mi gerddad ar draws y gwair,
	Lawr ar 'y mhedwar a cropian dan y briga

A gafael yn dy law a
A dy gusannu di.

Saib.

Lora   A gorwadd hefo'n gilydd
Ag agor 'y nghrys i, a, a twtsiad fy
Y mronna i
Ag, ag agor dy falog
A tynnu dy ddarn allan.

Mei   Dim y tro cynta.

Lora   O sori
Chditha'n gymaint o ŵr bonheddig.
Naddo, dim y tro cynta.
Ond yr ail, a'r trydydd tro.
Ninna'n gorwadd ar y blancad 'na oedd gin ti.
Plancad.
O ni 'di meddwl bo' chdi wedi dod â hi i mi ond i

Mei   Mi o'n i.

Lora   sdopio briga a, a baw a
lynnu i fy nillad i.
Fel bod neb yn ama'.

Mei   O'n i ddim isho i ni gael yn dal.

Dwi rioed 'di
Caru rhywun

Rioed 'di lysdio am rhywun yr oed yna wedyn.
Rioed.

Lora   Mond y fi.

Mei   Ia.
        Mond y chdi.
        Chdi oedd yr unig un.

        Saib.

        Chath hynna ddim 'i grybwyll yn y llys.
        Y Parc, y coed
        Y Blancad.
        Fu's i'n pendroni — pam?

Lora   Nes i'm sôn wrth neb.

Mei   Pam?

Lora   O'n i'n
        Dwn i'm
        Nes di ddim chwaith.

Mei   Ol naddo.
        'Sa nhw 'di rhoid deng mlynadd i mi wedyn.

        Saib.

Lora   Be oedd enw'r lle na?
        Lle fuo ni

Aetho ni.
Lle oedd y lan môr
Siopa i gyd 'di bordio.
Be oedd enw'r lle?

Mei   Pam ti'sho ... ?

Lora   Jysd isho gwbod.
O'n i'n methu ffendio fo'n unlla.
Be oedd yr enw?
Gerddon ni ar hyd y traeth.
Oedd hi'n oer.
Nathon ni afael dwylo.
Oddan ni'n cael am bo' hi'n dwyll.
Chdi yn pwyntio allan i'r môr.
Ar draws y môr i lle oedda ni am fynd.
'Ti'n gallu gweld?'
'Draw fan'cw '
Nes di gael sdafall i ni mewn B&B.
Odd raid i mi sefyll tu ôl i chdi pan oedda chdi'n
talu y ddynas.
Cadw 'mhen lawr a rhedag i fyny'r grisiau.
Oedda chdi'n 'i nabod hi?
Y ddynas?

Mei   Nagon.

Lora   O'n i'n meddwl bo' chdi.
Dwn 'im pam.

Mei	Na.
	Sud faswn i
	Nagon.
	Be ti'n …

Lora	Twin beds oedd yna.

Mei	Ocê.

Lora	Ocê be?

Mei	Dwi 'di deud wrtha chdi do.
	Dwi'm isho clŵad 'im mwy.

Lora	Dwi isho.

Mei	Da ni'n dau yn gwbod be ddigwyddodd.

Lora	Dwi ddim.
	Dwi'm yn gwbod bob dim.
	Na chditha.
	Ti'n gwbod dim byd.
	Dwi isho chdi wbod.
	Be nes i i chdi.

Mei	Be nes di i fi?

Lora	Be oedd enw y lle?

Mei	Aberafan.

Lora   Aberafan
Twin beds.
Teli.
Dim byd arall.
Ffenast yn edrych allan dros y môr.
Tynnu'n dillad i gyd.
A gafo ni *sex* ar un o'r gwlâu
Dwi'm yn cofio faint fuon ni wrthi.
Ond o'n i'n gallu gweld bo' chdi'n cael lot o blesar
o'r peth.
O'n i'n licio bo' fi'n gallu gneud hynna i chdi.
Natho ni ddwy waith, ffwcio ddwy waith.
Nes di droi fi rownd yr ail waith.
Argo, odda chdi'n gneud sŵn.
Nathon ni orwadd ym mreichia'n gilydd wedyn.
Nes i grio dipyn bach.
Fasa'n rhieni yn chwilio amdana fi.
Ffonio'n ffrind.
Yn yr ysgol yn holi lle o'n i
Pam o'n i ddim adra?
Oedd 'na rhywun 'di ngweld i?

Saib.

'Ma chdi'n deud bo' chdi isho sigarets.
Am fynd i chwilio am siop, ne dafarn.
O'n i isho mynd hefo chdi ond dyma chdi'n deud
na, 'sa'n well bo' fi'n aros lle o'n i, disgwyl amdana
chdi.

Pum munud fasa ti.
A dyma chdi'n twtsiad yna fi a
A nghusannu fi rhwng 'y nghoesa
A swsio mronna i.
Fasa ti'n ôl mewn dau funud.

O'n i'n gorwadd ar y gwely.
Yn gwrando ar sŵn dy draed yn mynd i lawr y
grisia.
'Ma fi'n lapio'r *sheet* amdanaf a mynd at y ffenast.
O'n i isho chocled.
'Ma fi'n trio'i hagor hi.
Da-da.
Gweiddi ar d'ôl. Da-da
Chocled.
Ond wnae'r ffenast ddim agor.
O'n i'n dy weld yn agor giat yr ardd odana fi.
Cnocio ar y ffenast ond nes di'm
Oedda chdi 'di cychwyn lawr y stryd, lawr canol y
stryd.
Nes di ddim clŵad.

Ma raid mod i 'di syrthio i gysgu
A pan ddeffrish i toedd gen i'm syniad faint o
gloch oedd hi.
O ni'n brifo m'bach rhwng 'y nghoesa ond o'n i'n
teimlo'n grêt.
Toedda ti heb gyrraedd yn ôl eto ond mi o'n i'n
hapus.
Fydd 'y nghariad i'n ôl mewn munud a mi ddaw o
a chocled i mi.

Toedd dim rhaid deud wrtho fo.
Mi fasa'n gwbod be dwi'sho a mi ddaw â fo i mi.
Ond ddois di ddim.

Oedd y sdafall yn oer.
Nes i wisgo amdanaf, edrych allan drwy'r ffenast.
Oedd dy gar di dal yna, ochor arall i'r ffordd.
Mi fedrwn glwad sŵn siarad lawr grisia, ddim yn
glir.
Ond lleisia.
Es i lawr y grisiau.
Drws ffrynt ar gau.
Mond sŵn teledu o rhyw sdafall.
O'r teli oedd y lleisia'n dod.
Mi oedd y drws yn gil-gorad
Dyma gnocio
Dim byd.
Neb yno.
Agor y drws ffrynt
Dyma 'na floedd fel o'n i'n
Dynas y lle.

'Be da chi'n neud', a, a
Odd hi'n dŵad yn nes a
A dyma fi'n cau'r drws yn glewt yn 'i gwynab hi a
A rhedag drwy'r giât ag allan i'r stryd a rhedag.

I ganol y dre
Oedd hi'n hwyr
Deg ar gloc yr eglwys.
Oedd y fferi yn gadael am hanner nos.

Toedd na'm lot o amser.
Dim golwg ohonat ti.
Mi welish siop yn gorad, gola
'Ma fi'n gofyn os oedd 'na ddyn wedi prynu
sigarcts.
Hel fi allan.
Meddwl bo' fi'n trio prynu sigarets.

Pub wedyn.
Y *pub* cynta.
Fama fysat ti yn cael peint a smôc.

Chwilio amdanat ti.
Cerddad rownd y lle i gyd
Dynion yn deud petha, chwerthin
Be o'n i isho?
'*You lost,* bach?'

Dad, medda fi
Pan ofynnodd y boi tu ôl i'r bar.

Oedd 'na ryw helynt a
A chdi oedd fy nhad.
Mi ddudish be oedda chdi'n wisgo, sut un oedda ti
Mi oedd o wedi dy weld
Oedda ti wedi bod yno.
Yr acen Gogs.
'Di cael peint a smôc a wedi gadael.
Oedd o'n poeni, y dyn
Gofyn be oedd yn enw fi a mi ddudish.
Am gerddad hefo fi, helpu fi chwilio

Na, na dwi'n iawn, medda fi, na, dwi'n iawn
A mi gerddish.
Lawr y stryd fawr.

Es i mewn i far arall.
Pawb yn troi i sbïo arna fi, gweiddi, chwerthin.

Cerddad a cerddad.

Dim mwy o dai.
O'n i wedi cyrraedd diwadd y dre.
Mi oedd y lôn yn cario mlaen.
Mi 'drychish i allan i'r tywyllwch.
O'n i wedi mynd yn rhy bell.
Cerddad rhy bell
O'n i yn y diwedd
A chdi
O'n i wedi dy fethu di
Oeddat ti nôl yn y B&B
Yn chwilio amdana fi, methu dallt lle o'n i.

Mi redish
Rhedag nôl.

O'n i'n gallu gweld y cloc uwchben y toeau
Oedd hi'n hannar awr wedi unarddeg.
Mi fedrwn ddal y fferi o hyd
Rhedag a rhedag.
O'n i'n gweld y tŷ
Ond mi oedd dy gar di wedi mynd.

Oeddat ti wedi mynd.

Odd bob man yn dywyll

O'n i'm yn gwbod be i neud.
Gwitchiad.
Isda ar fainc.
Odd hi'n rhewi, llwgu
O'n i isho gwbod pam bo' chdi 'di mynd.
Be o ni 'di neud?
O'n i'n crio.
Oedda ti 'di ngadael i.

Fyddan ni ddim ar y fferi.
Fyddan ni ddim yn gadael
O'n i'm yn gwbod be i neud.

'Sa ti byth 'di 'ngadael i.
'Sa ti'm yn gneud hynny.

Mi glywn y cloc yn taro hannar nos
Toedda ti ddim yn dŵad yn ôl
O'n i ar ben fy hun bach.
Ddoth 'na ddynas ata fi, siarad
Hi a'i gŵr yn mynd â'r ci am dro.

Es i hefo nhw i tŷ nhw
Rhoi fi mewn plancad a ffonio fy rhieni.
O'n i'n gorwadd ar 'u soffa nhw yn gwrando ar y
sgwrs, hi a mam
Oedd yr heddlu acw

O'n i'n teimlo'n sâl.
O'n i isho marw.
Faswn i byth yn dy weld ti eto.
Gorfod wynebu nhw i gyd
Fy hun.

Nes i gadw dy bart di.
D'amddiffyn di.
Aros yn
Yn driw.
Toeddat ti ddim wedi 'nghyffwrdd i, dyna ddudis i
wrth y cops.
Ddim 'di gneud dim.

Fi oedd isho rhedag i ffwrdd
Isho denig oddi wrth mam a dad, y tŷ, yr ysgol
Bo' chdi wedi rhoid pas i mi yn dy gar.
Helpu fi ddenig.
Fi oedd 'di gofyn, wedi pledio
Es di â fi yna a wedyn gadael.
Ti'n gwbod dim o hyn nagwyt.

Oedda nhw isho gneud tests
Cymeryd *samples* allan o'na fi.
Doctoriaid, heddlu.
Nes i wrthod.
Oedd 'na neb yn cael twtsiad yna fi.
O'n i'n gweiddi, sgrechian
Bo' chdi'm 'di gneud dim byd
Bo' chdi'n
O'n i isho chdi neud ond

O'n i isho chdi'n nôl
O'n i
Rotho nhw gyffuria
Nal i lawr a injecdio rwbath.
Agor 'y nghoesa fi a tynnu
Tynnu dy ddŵad di allan
Tysdiolaeth.
Gofyn be oeddat ti wedi'i neud i mi
Deud wrtha fi be oedda ti wedi'i neud pan o'n i
Yn gwrthod deud.
Oedda chdi mond isho un peth
Dyna pam nes di ddiflannu.
'Di cael be oeddat ti isho.
Mam yn, yn sgrechian arna fi
Hi a'r, a rhyw
Ddynas saicaiatrist yn siarad
Siarad mor ddistaw drwy'r adag.

'Be oedda chdi 'di ddeud?
Be oedda chdi 'di addo?
Pa eiria,
Pa eiria oedda chdi 'di iwsho?'

Mond un diwrnod o'n i yn y llys,
tu ôl i'r sgrin 'na.
Doedd gen i ddim syniad be oedd yn mynd ymlaen.
Neb yn deud dim wrtha fi
Gorfod aros yn tŷ fy anti
Dim yn cael symud o' no.
Dim teledu, dim papur newydd
Neb yn deud dim am yr achos

Hyd heddiw, neith mam ddim

Oedda chdi yna, ond o'n i'n methu dy weld di, felly
oedd rhaid i mi weiddi.
Gadael i ti wybod.
Bo' chdi 'di ngadael i ar ben fy hun
Yn gwaedu.
'Y ngadael i
'Y ngadael i heb gariad.

Pan ddaethon nhw adra ar y diwadd
I'r tŷ.
Mam a dad.
Dim adra.
Tŷ'n anti.
O'n i yn y llofft yn disgwl.

Neb yn dŵad ata fi.
O'n i'n meddwl ella bo' chdi 'di cael *off*.
Wedi cael dy rhyddhau.
bysa chdi'n dŵad yn ôl i fyw i'r un lle.
Tan ddudodd dad, wedyn

Chwe mlynadd.

Ag yn y nos 'ma fi'n deffro ag oedd mam yna
Yn pwyso drosda fi.
Yn sgrechian bo' nhw wedi cael eu barnu hefyd.
Bo' hi 'di bod o flaen 'i gwell.
Odd rhaid i dad fynd â hi o'r sdafall.
Llusgo hi allan.

A be ddudodd
Y barnwr
Be ddudodd o amdana fi.
Ti'n cofio.
Fod gin i
Feddwl
Meddwl amheus o aeddfed.

Nathon ni ddim symyd tŷ

I 'nghosbi i.

Dwi'n casau y bywyd dwi 'di gael.
Fysat ti ddim yn gwbod hynny chwaith.
O'n i isho i chdi gael gwbod.
O'n i'n meddwl 'sa ti 'di anghofio amdana fi.

Lora yn mynd am y drws, cychwyn allan.

Mei   Nes i sgwennu llythyr i chdi 'fyd.
        Ar ôl blwyddyn tu fewn
        A'i yrru fo.
        Naethon nhw adael i mi yrru un.
        Oeddan nhw'n 'i ddarllan o gynta wrth reswm.
        Ges di o?

Lora   Naddo.
        Ches i ddim llythyr.

Mei   Ma siŵr bo' nhw 'di rhybuddio dy rieni.

Lora   Be oedd o'n 'i ddeud?

Mei   Gofyn am faddeuant
           Egluro.
           Ymddiheuro.

           Saib.

           Mi oedd 'na lythyr arall.
           Ches i'm gyrru hwnnw.
           O'n i'n meddwl y bysa fo 'di gneud lles i ti,
           ddarllan o.

           Es i'n ôl.
           Mi o'n i'n dŵad yn ôl ata ti.

           Saib.

           Ar ôl prynu

Lora   Dŵad yn ôl?

Mei   Ia. Nes i brynu sigarets ... a cael
           Gwranda.

Lora   Dyma ti'n ddeud wrtha chdi dy hun, ia?

Mei   Dyna be ddigwyddodd.
           Prynu smôcs a mynd am beint

Lora   Dyma ti'n gorfod neud, ia?

Er mwyn ... gallu
Gwenu mewn llun.

Mei   Naci. Gwranda.
        Mi oedd 'na dafarn. O'n i'n
        Gwranda.
        Es i am beint. O'n i isho amsar
        Amsar i feddwl, i blanio.
        Y fferi, y pasborts.

        Os oeddan ni am fynd.
        Nes i gerddad am sbel ... Y strydoedd.
        Rownd, o gwmpas.
        O'n i'n gwbod bo' chdi'n disgwl amdanaf fi.
        Ond oedd raid i mi.
        A mi gyrhaeddish yn ôl, yn y B&B.
        Edrych i fyny ar y ffenast.
        Gola yn y ffenast.
        Ond y ddynas oedd yna.
        Yn sdripio y gwely.
        Deud bo' chdi 'di mynd.
        'Di rhedag allan.
        Be oedd yn mynd ymlaen?
        Es i o'na.
        Cerddad allan.
        O'n i'n meddwl y basat ti'n disgwl wrth y car.
        Neu ar y traeth.
        Nes i weiddi dy enw di.
        Ella bo' chdi'n cuddiad.
        Nes i ddreifio i'r dre i chwilio.
        Dim golwg ohonat ti.

Dim syniad lle fysat ti wedi gallu mynd.

Pam oedda ti wedi mynd?

Dyma ddechra panicio.

Disgwl i'r polîs gyrradd unrhyw funud.

Parcio.

Mynd yn ôl i'r dafarn.

Yr un un ag o'r blaen, ordro diod arall

Nath o'm symud, y dyn tu ôl i'r, yr un dyn oedd
wedi'n syrfio fi tro cynt.

Mond sefyll a syllu arna fi.

Dyma fo'n holi am fy merch i.

O'n i, o'n i wedi'i ffeindio hi?

A 'ma fi'n

Edrach i fyw i lygad o a deud do, do dwi wedi, a
ma 'i'n iawn.

Mi oedd 'na ddyn arall wrth yn ochor i.

Gofyn os oedd gin i ferch a be oedd 'i henw hi.

'Ma fi'n

A ma'r

Boi mawr arall 'ma yn dechra codi o'i set.

Dyma'r cynta yn plygu dros y bar a trio gafael yna
fi.

'Ma fi'n tynnu'n hun yn rhydd, rhegi arno fo.

'Ma nhw'n

Tri, pedwar ohonyn nhw ar yn ôl i.

Mi redish i.

Nhwtha ar fy ôl i.

Dau yn dal i ddŵad.

Nes i guddiad, redon nhw heibio

Mi nes i swatio yn fan'no, dwn i'm, am tua awr ma
siŵr.

Mi glywish y cloc yn taro hanner nos.
'Ma fi nôl i'r car a, a gyrru o 'no, a
Toeddwn i ddim yn gwbod os oeddat ti wedi mynd
at yr heddlu ta
Oeddat ti wedi mynd.
Ond fedrwn i ddim aros.
Es i mewn i Abertawe.
Lle oedd y fferi yn gadael.
Ella bo' chdi 'di ffendio dy ffordd yno rwsyt.
Disgwl amdana fi yno.
Nes i aros nes o'dd hi'n gwawrio.
Wedyn o'n i'n gwbod fod hi ar ben.

Jysd dreifo wedyn.
Dim syniad lle o'n i'n mynd.
'Tua'r Gorllewin!'
Mi glywish y newyddion ar y radio.
Wedi dy gael yn saff a dianaf.
Yn Aberafan gan gwpwl yn cerdded eu ci.
Roedd yr heddlu yn chwilio amdanaf fi.
Chwilio am y car
Deud rhif 'y nghar i ar yr awyr.
Es i am y môr.
Gyrru ar y lonydd bach cefn.
Gadael y car a cerddad.
Llwybr yr Arfordir.
Ffeindio ciosg, ffonio'r polîs.
Disgwl yno iddyn nhw ddŵad.
Faswn i byth wedi dy adael di yn fanna.

Saib

84

Lora   'Di o'n gneud dim gwahaniaeth.
        Mynd, ta dŵad yn ôl
        Does na'm

Mei   Ma 'na.
        I mi, ma 'na.

Lora   Well i chdi ydi?
        Haws i chdi ia?

Mei   'Di o'm yn haws.
        Mae o'n
        Y twrna.

Lora   Pam ddeud o ta?
        Pam deud hynna rŵan?

Mei   Y twrna ddudodd fod o'n swnio yn well os o'n i
        wedi dy adael di yno, fod
        o'n dangos mod i 'di dalld pa mor ddifrifol
        Peth mor ofnadwy o'n i wedi neud.
        Mod i wedi mynd oddi wrtha ti.
        Dim i ddŵad yn ôl.

        A sut fasa hynny yn swnio i'r rheithgor
        A cael ei 'neud' i swnio
        Fel 'mod i yn mynd yn ôl
        Am fwy. (*Sŵn crio yn ei lais*)
        Achos fel arall, pam faswn i'n mynd yn ôl?

Pan ffendion nhw fi, mi o'n i ar lawr y ciosg.
Mhenaglinia dan fy ngên.
Yn beichio crio.
O'n i wedi dy golli di.
O'n i, to'n i ddim wedi edrych ar dy ôl di.

Mae o'n gneud i mi deimlo'n well.
Mod i wedi dod yn ôl.
Mae o
Pwy bynnag o'n i adag hynny.
Ma'n gneud mi deimlo m'bach gwell.

Lora   Pam na nes di yrru y llythyr?

Mei   Dwi 'di deud do.
        Naethan nhw'm gadael i mi.

Lora   Ma siŵr 'sa chdi 'di gallu rwsyd.

Mei   Na.

        Saib.
        Mae hi'n syllu arno.
        Mae'r golau yn diffodd, yn y stafell ag yn y
        ffenestr.

Lora   Be sy'n digwydd?
        Be sy 'di digwydd?

Mei   Dwi'm yn gwbod.

Mae Lora yn mynd yn ei hôl yn erbyn y wal.

Lora   Be sy'n mynd ymlaen?

Mei   Fydd rhaid mi fynd i weld.

Mae o'n cychwyn am y drws.

Lora   Lle ti'n mynd?

Mei   I weld be sy'n
Aros yn fama.
Ocê?

Lora   Iawn.

Mei   Munud fydda' i.
Ma siŵr fod 'na doriad i'r trydan ne rwbath
'Rosa'n fama.

Mae o'n agor y drws a mynd allan.
Mae Lora yn aros, yn llonydd.
Tu allan clywn sŵn drysau yn clepian ynghau.
Mae munud yn mynd heibio.

Lora   Mei.
Mei.

Mae hi'n cerdded yn ofnus at y drws, ei agor ac
edrych allan i'r tywyllwch.
Mae hi'n troi yn ôl.

Daw'r golau nôl mlaen yn y stafell ond ddim yn y ffenestr.
Daw Mei yn ei ôl.

Mei   Mae nhw'n anhygoel.

Lora   Pwy?

Mei   Rheina.
Y cwbwl lot.
Wedi mynd.

Lora   I gyd?

Mei   Do.
'Di mynd adra.

Lora   Ydi'r drysa 'di cloi?
Da ni'n ...

Mei   Na. Na.
Ma gin i oriada.
Fi fydd yn cloi.

Lora   Pam na fysa nhw 'di deud 'wbath wrtha chdi?

Mei   Dwn i'm Duw.
Felna
Bastards gwirion.

Lora   Chdi sy'n cloi?

Mei	Ma gin i oriada. Fi fydd dwytha fel arfar.
Lora	Chdi fydd yn cloi heno?
Mei	Ia. Pam?
Lora	Chdi 'di'r
Mei	Be?
Lora	Gofalwr nos. Y, y dyn Siciwriti?
Mei	Naci.
Lora	Y gofalwr, dyn llnau? Dyna wyt ti?
Mei	Naci.
Lora	Ma nhw'n meddwl 'na dyna wyt ti.
Mei	Dwi ddim
Lora	Dy adael di yma
Mei	Tydw i ddim
Lora	Well ti

Mei   Mewn

Lora   ddechra arni.

Mei   Crys a tei.

Lora   Sbia ar y llanast 'ma.

Mei   A trwsus felma.
           A ma'r

Lora   Ma gin ti

Mei   sgidia 'ma

Lora   ryw fath o chwilan.

Mei   Toedd o ddim yn deud 'tîm llnau', dan y llun 'na.
           Be ti'n feddwl, chwilan?
           Be?

Lora   Trowsusa a shorts.

Mei   Am be ti'n fwydro da'?
           Dwi reit uchal yn fama i chdi gael dallt

           Saib.

Lora   Dwi'm yn gwbod be wyt ti.

Mei   Dwi 'di gweithio'n galad i gael hyn

Lora	Wyt ti'n gwbod?
Mei	Oedd hi 'di gorffan arna fi. Bob dim 'di cau.
Lora	Oes 'na rywun yn gwbod?
Mei	Dwi 'di slafio I beidio bod yn ofalwr Yn ddyn llnau. Yn feddwyn Yn Yn ddim. 'Di trio achub rwbath o
Lora	Ti 'di newid dim. Dal i siarad a Siarad i gael be ti'sho, a Deud clwydda heb sylweddoli bo' chdi'n deud
Mei	Cau dy geg.
Lora	Dwi'm yn gwbod be i goelio, Mei. Mae 'na gymaint o ddewis. Wyt ti'n byw yn fama dŵad?
Mei	Be?
Lora	Ella 'na chdi
Mei	Be ti'n falu da'?

Lora	Oedd pia'r bwyd 'ma i gyd.
	Chdi pia hwn.
	Byw yn fama a byth
	Byth yn gadael
	Byth yn
	'Sgin ti neb siŵr.
Mei	Oes tad, ma gin i.
Lora	Byw yn fama, byta 'ma a
Mei	Dwi wedi ffendio rhywun
	Dwi wedi
Lora	'Di'n gwbod?
	Ydi hi'n gwbod dy fod ti wedi mynd nôl i chwilio
	amdana fi?
	Nes di ddeud wrthi?
	Nes di'm deud wrthi
	Yn naddo?
	Ti'm wedi deud dim byd o gwbwl wrthi.
Mei	O'n i isho.
	Wir, o'n i am ddeud, ond
	Fysa gin i'm
	Mae gynnon ni fywyd 'wan
	Dwi 'di gneud yn well, yn well nag
Lora	Chdi

Mei   nag o'n i yn 'i ddisgwyl.
O'r dyn ffendion nhw yn y ciosg 'na.
O hynny ... Crio ar ei liniau.
Dwi 'di ...
Ma'n rhieni ... y teulu
Pan o'n i mewn ... Oedd fy ffrindia
Gneud dim byd hefo fi

Nath y banc gymeryd y fflat
Odd gen i ddyledion
Tocdd gin i'm byd ar ôl.
Ond mi nes i ei ffendio hi.
O'n i mor lwcus.

Lora   Iesu.

Mei   Mor, mor ddiolchgar.

Lora   Ga'i 'chwarfod hi?

Mei   Paid â bod yn wirion.

Lora   Tydw i'm yn wirion Mei.
Ddudis di dy hun, 'mod i ddim yn wirion
Dwi isho'i gweld hi
Y ddynas anhygoel 'ma.
Fysa byth yn madda i chdi os bysa hi'n gwbod
Fysa'n
Sut un ydi?
Disgrifia hi i mi.

93

Mei   Be?

Lora   Tyd 'laen.
          Sut un ydi i sbïo arni?

Mei   Na 'naf.

Lora   Ydi'n ddel?
          Tlws?

          Mae Mei yn troi oddi wrthi.
          Ond mae Lora ar ei ôl, yn closio ato.

          Gwallt melyn ta brown?
          Tal, 'ta pwtan fach?
          Clyfar 'ta gwirion?
          'Ta dwl?
          Y cachwr
          Byw fel hyn.

Mei   Pam na nei di gau dy hen geg.

Lora   'Sa gas gin i fod yn 'i lle hi.

          Faint 'di 'hoed hi?
          Be di'r gwahaniaeth oed?
          Faint?

Mei   Blwyddyn.
          Ma hi flwyddyn yn hŷn na fi.

Lora	O! Ma hi'n hen, fatha chdi. Ma 'i'n chwe deg 'lly.
Mei	Tydi'm yn chwe deg.
Lora	Ti bron yn chwe deg dwyt?
	Troi oddi wrthi eto.
	Ydi hi dal yn secsi? Dal i dy droi di mlaen?
Mei	Ydi, ma 'i.
Lora	Be ma 'i'n neud i chdi 'lly?
Mei	Iesu bach.
Lora	Be ti'n licio amdani? Yr hen groen llac 'na Di'n un dda, yndi?
Mei	Ti'n sâl, chdi Yn dy
Lora	Dwi ddim yn sâl.
Mei	Paid â dŵad yn agos ata fi.
Lora	Dwi'm yn sâl

Mae hi'n codi cadair a'i thaflu ato

Dwi ddim yn sâl
Chdi sy'n ...

*Codi cadair arall. Mae Mei yn rhuthro i'w
rhwystro.
Mae'n mynd yn ffrwgwd ac mae Lora yn syrthio
i'r llawr ac yn gweiddi mewn poen.*

Mei   Ti'n iawn?

Lora   Dos o'ma, gad fi fod.
          Lle ma'r dŵr 'na?

          *Mei yn mynd a'r botel iddi.
          Saib hir, hir.
          Mae o'n eistedd i lawr.*

Mei   Dwi 'di blino 'wan.

Lora   A finna.

Mei   Dwi 'di dechra ers chwech bora 'ma.

Lora   Gin i job.
          Mewn gwaith.
          Dwi'n gneud pres da.
          Yfad rhyw chydig
          Dim problema byta
          Chydig o ffrindia.

Dim llawer.
Fysa'n fflat i yn gallu bod yn fwy ond ...
Dwi'n ddreifar ofnadwy
Ond ma nghar i'n mynd yn iawn.

Mei   Sud ma dy fam?
        Fyddi di'n gweld hi weithia?

Lora   O byddaf, 'sgin i'm dewis.
        Ne' ma hi'n 'y ngweld i.
        Dal i gadw golwg arna fi.
        Dal methu, methu 'nhrysdio fi.
        'Sa hi'n gwbod am
        'Sa'i gwynab hi'n newid lliw.

Mae hi'n rhoi chwerthiniad sydyn.

Mam druan.
Nath hi ddechra ffendio cariadon i mi.
Gwadd nhw draw.
Chydig o flynyddoedd yn ôl.
Hogia ifanc.
Meibion 'i ffrindia hi, a cymdogion
Gwadd nhw acw i'r tŷ
Am de.
Fel tasan ni yn yr oes or blaen.
Ennill fy llaw.
Achos mi o'n i
Nes i gysgu hefo lot o ddynion cyn hynny.
Lot fawr.
A pan es i'n isal

Pan o'n i 'di cael digon
Pan, pan o'n i 'di gneud i'n rhieni ddiodda digon
Achos o'n i'n deud wrthyn nhw.
Deud pob manylyn o be' o'n i'n neud hefo'r dynion
'ma.
Nes i sdopio.

Mei   Hefo faint?

Lora   Ti'm yn meddwl mod i 'di cadw cownt, wyt ti?

Mei   Dwn i'm. Ella bo' chdi.

Lora   Wyth deg tri.

Mei   Wyt ti hefo rhywun rŵan?

Lora   Yndw.

Mei   Ydi o'n gwbod bo' chdi yma?

Lora   Nadi.
        Nes i'm deud wrtho fo.
        Dwi'm 'di deud dim byd wrtho fo.
        O ni'm isho.
        Oedd gin i ormod o feddwl ohono fo.
        Da ni'm hefo'n gilydd ar hyn o bryd.
        Wel, ers tair blynadd.
        Ond dwi'n 'i garu fo.
        Dwi'sho'i garu fo eto
        Os fedran ni.

Y, y dŵr 'ma.
Dwi'sho diod wan. Angan diod iawn.
Ngheg i'n sych.

Mei   Cwrw.

Lora   Ia, rwbath, dyna ti'n yfad?

Mei   Weithia ia. Gwin.
        Ond mi fysa cwrw yn dda 'wan.
        Ti'sho mynd?

Lora   Be, am ddiod?

Mei   Ma 'na le, ddim yn bell.

Lora   Am ddrinc?

Mei   Na.

Lora   Na.

Mei   Di'n sdumog i'm yn
        'Sa gormod o gwrw'n
        Ond ma gynnon nhw gwrw da.

Lora   Cwrw o Ewrop?

Mei   Dwn i'm o lle.

Lora   Holland?

Mei   Ma nhw'n deud fod o o Holland ond yn Llundan
          ma nhw'n neud o go iawn.

          Mae'r ddau yn chwerthin.

Lora   Di'r fferi o Abertawe ddim yn mynd i Amsterdam.

Mei   Dwi'n gwbod. I Werddon.

          Chwerthin eto.

Lora   Ma 'i fel cwt mochyn yn fama.

Mei   Fyddan nhw
          Fyddan nhw'n ôl fory yn byta yn fama eto
          Yng nghanol hyn i gyd.

          Mae o fel cwt mochyn.

          Mae o'n rhedeg at y bin ac yn ei gicio.
          Y bin yn troi a'r sbwriel yn chwydu dros y llawr.
          Mae o'n cicio'r sbwriel.
          Mae Lora yn ymuno.
          Y ddau yn cicio sbwriel dros y lle.
          Stopio, edrych ar ei gilydd.
          Cychwyn eto.
          *Mae Mei yn stopio, allan o wynt, ac yn mynd i
          eistedd.*
          Mae hi'n mynd ato.

Lora   Ti'n iawn?

Mei   Yndw, dwi'n meddwl.

Fush i'n meddwl lot sut y basa ti'n tyfu fyny.
Be fasa'n dŵad ohonat ti?
Pa fath o berson fasa ti'n ...?
Sut fasa ti'n byw?
Ag i dy weld ti rŵan.
A chditha yn anhapus
Ag arna fi ma'r bai am hynny
Nes i rioed feddwl dy frifo di.

Lora   Ond mi nes di.

Mae o'n ymestyn ei law, ei mwytho hi.

Mei   Mi oeddat ti'n unig
Cyn 'y nghyfarfod i.
Pan naethon ni gwarfod.
Oeddat ti ar ben dy hun
Mi roeddat ti'n blentyn unig.
Dy fam a dy dad wedi dy anwybyddu.
Nes di rioed ddeud hynny ond
pan o'n i'n dy ddal di yn 'y mreichia, mi fedrwn
deimlo'r peth.
Dwi'n gweld rŵan.
O ni 'di meddwl dy fod ti'n gryf
Twyt ti ddim
Na finna chwaith.

Mae nhw'n cusannu.

Dwi wedi bod yn meddwl amdanat ti.
Dwi'n dal i feddwl lot amdanat ti.

Lora   Be, be wyt ti'n feddwl?
        Wyt ti'n meddwl amdana fi, fel o'n i, adag hynny?

Mei   Ydw.
        Ydw, mi rydw i.
        Dyna'i gyd sgin i.

Lora   Yn y sdafell 'na?

Mei   Ia. Dy dwtsiad di.
        Dy gofleidio di.

Lora   Ffwcio fi?

Mei   Ia.
        Dy ffwcio di.

Lora   Fyddi di'n wancio?
        Yn dŵad?

Mei   Byddaf.

        Cusannu eto. Cofleidio yn wyllt.
        Dechrau dadwisgo'r naill a'r llall.
        Gorwedd i lawr.
        Mae Mei yn peidio, symud i ffwrdd.

        Na. Fedra' i ddim. Fedra' i ddim.

Lora	Dwi'sho chdi neud.
Mei	Na.
Lora	Ond pam?
Mei	Ddrwg gen i. Fedra' i ddim.
Lora	Dwi rhy hen i chdi?

Tu allan i'r stafell, ymhell ym mhen draw y coridor, mae llais dynes yn galw.

Llais	Peter?
Mei	Naci, dim dyna

Mae o fel petai heb glywed y llais.

Lora	Nes di glywed?
Llais	Peter?

Mae o'n syllu ar y drws.

Lora	Hi sy 'na?
Mei	Ia.

Clywn y llais eto ond yn dawelach, ymhellach nag o'r blaen.

Llais   Peter, are you here?

Mei   Ma'i 'di mynd i ben arall yr adeilad.
        Fedran ni

Lora   Be?

Mei   Raid ni fynd allan.

        Saib.

        Sŵn rhywun wrth y drws. Bolyn y drws yn troi.
        Mae Lora yn symyd at y wal bella.
        A Mei at y loceri.
        Mae'r drws yn agor a daw merch tua deuddeg
        oed i mewn.

Merch   You're here. Peter.
        You're here.

Mei   Hello.

        Mae'r ferch yn rhuthro ato ac yn ei gofleidio.

        What 're you doing?

Merch   We're looking for you.
        Where have you been?

Mei   I was here. I'm changing.

Mae o'n symud i ffwrdd oddi wrthi.

I'm busy.

Merch   What are you doing?

Mei   Look at the mess in here.

Merch   I'll help you.

Mac hi'n plygu i godi peth o'r sbwriel.

You eat too much.

Mae hi'n chwerthin.

Mei   No.
Don't, darling.
Don't.

Yn gadarn.

Drop it.

Mae'r ferch yn gollwng y sbwriel ac yn syllu arno.

Go and find your mum.
Tell her I'm coming.
Tell her I'll see both of you at the entrance.
I'll get the car and I'll meet you at the entrance.

Wait there for me.
I'll be a few minutes.
Go.

Merch   Come with me.

Mei   I can't.

Merch   Why?

Mei   I can't yet.
I will.
Five minutes.
I have to lock all the doors.

Merch   Why can't I stay here with you?

Mei   You shouldn't even be here.
You shouldn't be in here.
It's not allowed.
You have to go now.

Mae'r ferch yn gweld Lora.

Merch   Who's she?
Peter?
Why is she there?
Why is she hiding?

Mei   She's not hiding.

Lora   I'm not hiding.

        Mae'r ferch yn closio at Mei.

Merch   Peter, who is she?

Mei   A friend.

Merch   Does she work here?

Mei   No.

Lora   We were just talking.

Mei   And you interrupted us.

Merch   Are you coming with us?

Lora   No.

Mei   Darling.

Merch   Do you know my mum?

Lora   No, I don't.

Merch   What's her name?

Mei   Lora.

Lora   You should go now.

Mei   You should.

Merch   I want to stay with you.

Mei   Darling, you can't.
        You have to find Mum.

Lora   Go.
        Please, go.
        You have to.

        *Mae Lora yn arwain y ferch allan drwy'r drws.
        Tawelwch.*

        Dim dy ferch di ydi hi?

Mei   Naci.
        Dyn arall.

Lora   O!

Mei   'Sgin ti'm hawl
        Does dim rhaid i mi ddeud dim byd wrtha chdi.

        Mae Lora yn gruddfan.

        Paid â ...

Lora   Crist o'r Nef.

Mei   Paid.

Beth bynnag sy'n mynd trwy dy feddwl di.

Lora   Fedri di ddim.
O fy Nuw.

Mei   Na. Allwn i byth.
Coelia fi.

Mynd yn nes ati.

Dwi'n gofalu amdani.
Edrach ar ei hôl hi.
Faswn i byth

Mae o'n gafael ynddi, yn fwy penderfynol.

Faswn i byth yn gneud hynna.
Byth, ti'n dallt.
Coelia fi.
Mae raid i chdi 'nghoelio fi.

Mae o'n gollwng ei afael arni.

Byth.

Mae o'n ei chofleidio, mwytho ei hwyneb.
Ei chusannu. Dim ymateb.
Pellhau.

Toes na'm byd arall fedra' i ddeud.

Y ddau yn edrych ar ei gilydd yn hir.
Y ddau yn edrych am y drws.
Mae Mei yn cychwyn am y drws.

Lora   Aros.
       Fedri di'm

Mei   Ma rhaid i mi.

Lora   Na.

Mei   Rhaid i mi fynd atyn nhw.

Lora   Na.

Mei   Maen nhw'n disgwl amdana fi.

       Mae hi'n rhuthro ato, gafael ynddo.

Lora   Na, fedri di ddim.
       Fedri di'm mynd yn ôl atyn nhw.

Mei   Gad fi, gad fi

Lora   Na.

Mei   Gad fi fynd.
       Gad fi, plis.
       Ma rhaid mi fynd.

Lora   Chei di'm mynd.

Mei   Gollwng fi nei di.

Mae hi'n gafael yn dynnach.
Mae o'n ei gwthio i ffwrdd.
Mae hi'n rhuthro'n ôl ato.

Lora   Gad fi ddŵad hefo chdi ta.
Ma'n iawn iddyn nhw gael gwbod.

Mei   Dos ffwcin o 'ma.

Mae o'n ei lluchio o'r neilltu.
Mae hi'n syrthio yn ôl i ganol y llanast.
Mae Mei yn gadael.

Lora   Mei.

Saib.

Mae Lora yn rhedeg allan o'r ystafell.
Ystafell wag, llawn sbwriel.

Y DIWEDD